Shalila Sharamon · Bodo J. Baginski

Das Wunder im Kern der Grapefruit

Die Geheimnisse des Citrus paradisi
Das praktische Handbuch
zur Anwendung bei Infektionen, Entzündungen,
Mykosen, Allergien und vielem mehr

W0196590

WINDPFERD

Wichtiger Hinweis

Die in diesem Buch vorgestellten Informationen über einen Natur-extrakt wurden sorgfältig aus internationalen Forschungs-ergebnissen und Testreihen zusammengetragen und nach bestem Wissen und Gewissen recherchiert, getestet, mehrfach überprüft und sorgfältigst aufgezeichnet. Dennoch ersetzen die in diesem Buch dar-gestellten Anwendungen und Möglichkeiten nicht automatisch eine Diagnose und/oder die Behandlung durch einen qualifizierten Arzt, Psychotherapeuten, Heilpraktiker oder Heiler. Im Falle einer Anwen-dung des in diesem Buch beschriebenen Extrakts sollte jeweils die Packungsbeilage beachtet bzw. der Rat des Arztes, Heilpraktikers oder Apothekers eingeholt werden. Weder der Verlag noch die Au-toren übernehmen eine Haftung für vermeintliche oder tatsächliche Schäden irgendeiner Art, die sich aus dem richtigen oder fahrlässi-gen Gebrauch des hier dargestellten Extrakts, bzw. der hier darge-stellten Möglichkeiten und Methoden ergeben sollten.

9. überarbeitete Auflage 1996
© 1995 by Windpferd Verlagsgesellschaft mbH, Aitrang
Alle Rechte vorbehalten
Umschlaggestaltung: Wolfgang Jünemann,
unter Verwendung einer Illustration von Berthold Rodd
Illustrationen im Innenteil: Alois Hanslian
Gesamtherstellung: Schneelöwe, Aitrang

ISBN 3-89385-161-5

Printed in Germany

*... nichts auf der Welt ist so mächtig
wie ein Impuls,
dessen Zeit gekommen ist.*

VICTOR HUGO (1802 – 1885)

Inhaltsverzeichnis

Erste Begegnung 7

Ein Baum namens „Citrus paradisi" 11
Die Inhaltsstoffe 13

Ein universelles Naturheilmittel wird entdeckt 15

Grapefruitkern-Extrakt zur äußeren Anwendung 27
Mund und Lippen 28
Zähne und Zahnfleisch 30
Nase und Nasennebenhöhlen 32
Hals und Rachenraum 33
Ohren 34
Gesicht 35
Kopfhaut und Haare 36
Haut 37
Füße 40
Finger- und Fußnägel 42
Scheide und Genitalien 44

Grapefruitkern-Extrakt zur inneren Anwendung 47
Entzündungen allgemein 53
Erkältungskrankheiten 56
Magen-Darm-Infektionen 57
Gastritis, Magen- und Zwölffingerdarm-Geschwüre 59
Candida albicans und andere Pilzerkrankungen 61
Parasitäre Erkrankungen 66
Allergien 72

Grapefruitkern-Extrakt als Mittel zur Vorbeugung 77

Die kleinste Reiseapotheke der Welt 79

Erfahrungsberichte 83

Weitere Möglichkeiten der Anwendung von
Grapefruitkern-Extrakt 89
In der Körperpflege 89
In der Kosmetik 91
In der Babypflege 93

In der Krankenpflege 95
Als Hilfe im Haushalt 97
In Gastronomie und Lebensmittelindustrie 99
In Sauna, Whirlpool und Swimmingpool 103
Im Dienste der Trinkwasseraufbereitung 105
Bei Haustieren 107
Als Helfer in der landwirtschaftlichen Tierhaltung 111
Im Einsatz bei Pflanzen 116
Grapefruitkern-Extrakt selbst herstellen 121

Anhang
Wissenschaftliche Daten und Fakten 125
Laboranalysen 132
Anschriften und Bezugsquellen 140
Weiterführende Anregungen und Produktvorschläge 141
Aufruf zu internationaler Mitarbeit 146
Abschließende Betrachtung 148
Danksagung 151
Die Autoren 152
Bibliographie 154
Index 168

Erste Begegnung

Wo aber Gefahr ist,
wächst das Rettende auch.

FRIEDRICH HÖLDERLIN (1770 – 1843)

Auf unserer Suche nach Möglichkeiten der natürlichen Heilung stießen wir eines Tages auf eine erstaunliche, vielversprechende Substanz. In ihrer „verschlüsselten" Form war uns diese Substanz sehr häufig begegnet, als Kern in einer banalen, alltäglichen Frucht. Wie oft haben wir die lästigen Kerne der Grapefruit verächtlich ausgespuckt, ohne etwas von dem verborgenen Schatz in ihrem Innern zu ahnen. Wie dieser Schatz schließlich entdeckt wurde und welche Begeisterung er bei Forschern wie Anwendern hervorrief, erzählen wir im folgenden Kapitel.

Anders als viele der heute bekannten natürlichen Heilmittel besitzt der Grapefruitkern-Extrakt keine überlieferte Tradition. Er ist ein „neuer" Stoff, dessen Wirkung und Anwendungsbreite noch ständig weiter erforscht wird. Doch kommt er wie gerufen für viele der „neuen" Erkrankungen, die durch unsere modernde Lebensweise überhandnehmen.

Unsere erste Begegnung mit dem Extrakt der *Citrus Paradisi* (so der lateinische Name) fand in einem kleinen Naturkostladen in unserer irischen Wahlheimat statt. Am Tag zuvor hatte eine Freundin uns von der Heilung ihrer langwierigen Darmbeschwerden durch Grapefruitkern-Extrakt erzählt. „Grapefruitkern-Extrakt? Nie gehört." Doch als uns besagtes Elixier nun vom Tresen des kleinen Naturkostladens anlachte, war unsere Neugierde geweckt. Der Besitzer hatte den Extrakt selbst erst kurz zuvor kennengelernt. Begeistert berichtete er von der Heilung seiner *Candida albicans*, die nach jahrelangen vergeblichen Bemühungen mit anderen Mitteln innerhalb weniger Wochen durch Grapefruitkern-Extrakt verschwand. Mit wachsendem Interesse lauschten wir seinen Berichten über eine Reihe ähnlich rapider Heilungen diverser chronischer Beschwerden bei seinen Freunden und Kunden.

Dann drückte er uns die Fotokopie eines Zeitungsartikels aus England in die Hand. Einige Schlagworte, die die antibakteri-elle Wirkung des Grapefruitkern-Extrakts beschrieben, spran-gen uns ins Auge: „Breitgefächertes Spektrum – hochwirksam und effektiv – ungiftig – keine Schwächung des Immunsystems – keine Schädigung der nützlichen Bakterienflora – preisgün-stig – gründlich erforscht – Naturprodukt – hypoallergen."

Das klang nun in der Tat wunderbar. Sollte uns „Mutter Natur" hier tatsächlich ein Mittel geschenkt haben, das Krank-heitserreger effektiv vertreibt – ohne Schwächung des Im-munsystems, Zerstörung der Darmflora und allen damit einhergehenden Folgen?

Wir lasen weiter, und bald war unsere Begeisterung voll-ends geweckt. „Wirksam bei über dreißig Pilzen und einem Heer einzelliger Parasiten". Uns kamen die alarmierenden Berichte über die „Invasion der Pilze" in den Sinn, die seit Anwendung der Dunkelfeldmikroskopie nicht mehr wegzu-leugnen ist. Verschiedene Experten schätzen, daß etwa die Hälfte aller Krankheiten auf inneren Pilzbefall zurückzuführen ist, und neuere Forschungen scheinen einen Zusammenhang zwischen Pilzen und so unterschiedlichen Erkrankungen wie Arthritis, Allergien, Herz-Kreislauf-Beschwerden und vielem mehr zu bestätigen.

Untersuchungen aus den USA wissen Ähnliches von Para-siten zu berichten. So soll beispielsweise ein Viertel der Be-völkerung von New York damit infiziert sein. Der zunehmende Streß in unserer modernen Zivilisation, eine unnatürliche Lebensweise sowie die heute übliche, ungesunde und mit Zusätzen belastete Ernährung haben unser Immunsystem offenbar so sehr geschwächt, daß es mit der Abwehr der vielen Eindringlinge überfordert ist. Sie machen es sich in unserem Körper heimisch und entfalten dort ihre (un-)heim-lichen Wirkungen.

Als wir nun in dem kleinen Naturkostladen über die Wirkung des Grapefruitkern-Extrakts lasen, kam uns ein Zitat von Hölderlin in den Sinn:

„Wo aber Gefahr ist, wächst das Rettende auch."

Sollte der Extrakt aus dem Kern des *Citrus paradisi* halten was er versprach, so wäre er in der Tat ein unschätzbares Geschenk aus der „Apotheke Gottes" für die Menschen unserer Zeit.

In den folgenden Wochen streckten wir unsere Fühler aus, und von überall her flossen uns Informationen über den Grapefruitkern-Extrakt zu. Aus den USA, Kanada, Korea, Peru, Mexiko, Kenia, Thailand, England, Irland, Frankreich, Dänemark und Deutschland trafen Forschungsergebnisse, Daten und Fakten sowie Erfahrungsberichte ein. Unser Erstaunen über die enorme Wirksamkeit und Anwendungsbreite dieses Extrakts wuchs von Tag zu Tag.

Doch fehlten uns zunächst noch Erfahrungen aus erster Hand. „Leider" waren wir selbst relativ gesund. Dennoch begannen wir, täglich einige Tropfen „probeweise" einzunehmen. Bei Shalila traten zu ihrer Verwunderung leichte Entgiftungserscheinungen auf, wie sie sie von Fastenkuren her kannte. Sollten sich da einige Eindringlinge unbemerkt in ihren Körper eingeschlichen haben, die nun „entsorgt" wurden? Nach etwa zwei Wochen fühlten wir uns jedenfalls so frisch wie lange nicht mehr. Seit dieser Zeit konnte sich keine Erkältung mehr bei uns festsetzen. Beim ersten Kratzen im Hals griffen wir zum Grapefruitkern-Extrakt, und es verschwand im Nu. Während bei einer Grippewelle alles um uns her hustete und nieste, blieben wir verschont.

Gleichzeitig empfahlen wir den Extrakt Freunden und Bekannten mit entsprechenden Krankheitssymptomen und baten sie, ihre Erfahrungen mit uns zu teilen. Wir behandelten die Hautpilzerkrankung unserer Katze, besprühten von Läusen befallene Pflanzen, wässerten unsere Keime und wuschen unsere Haare damit, um nur einige unserer vielen Anwendungsversuche zu nennen. Der Erfolg war so überzeugend, daß wir „die gute Neuigkeit" mit möglichst vielen Menschen teilen wollten. Die Idee zu diesem Buch war geboren.

Bei all dem war uns jedoch auch klar, daß selbst das wirksamste Naturheilmittel nicht den inneren Lernschritt ersetzen kann, auf den uns eine Erkrankung hinweisen will. Auch ersetzt es nicht die Umstellung auf eine gesündere Ernährung und eine natürlichere Lebensweise. Um eine dauerhafte, tiefgreifende und ganzheitliche Heilung zu erreichen, mag eine Änderung unserer inneren Einstellungen und Überzeugungen, unserer Art zu leben, zu denken und uns zu ernähren, unumgänglich sein. Auf der anderen Seite kann es sehr lange dauern, bis sich eine innere Wandlung bis in die träge Materie unseres Körpers hinein manifestiert, denn Materie ist bekanntlich sehr viel langsamer als der Geist.

So sollte Heilung auf allen Ebenen ansetzen, und allem Anschein nach kann der Grapefruitkern-Extrakt eine überaus wichtige Rolle auf der körperlichen Ebene spielen. Die Erfahrung von neuer Klarheit und Frische, die so häufig mit der Beseitigung der vielfältigen unerwünschten Eindringlinge einhergeht, kann zudem den Wunsch wecken, diese neue Lebensqualität dauerhaft zu erhalten und noch zu steigern. So kann sie idealerweise den Weg zu einer bewußteren Lebensführung und innerem Wachstum bereiten.

Wir wünschen uns, daß Grapefruitkern-Extrakt, in diesem Sinne angewandt, vielen Menschen zu größerer Gesundheit und einem gesteigerten Wohlbefinden verhilft. Darüber hinaus hoffen wir, durch dieses Buch zur weiteren Erforschung dieses vielversprechenden Extrakts anzuregen und manch einen Produzenten von Naturheilmitteln zu inspirieren, Grapefruitkern-Extrakt mit seinen vielfältigen Anwendungsmöglichkeiten in seine Produkt-Palette aufzunehmen. Wir sind uns sicher, daß dieser Extrakt schon in naher Zukunft eine große Bandbreite von synthetisch erzeugten Arzneimitteln sowie Hygienepräparate, Konservierungsstoffe und Schädlingsbekämpfungsmittel mit ihren zum Teil höchst bedenklichen Nebenwirkungen ersetzen wird.

Ein Baum namens „Citrus paradisi"

Gott in seiner unendlichen Güte
hat dem Menschen
durch die vollendete Welt der Pflanzen
nahezu alles geschenkt,
was er zu seiner Ernährung,
Kleidung und Heilung braucht.

JOHN GERARDE, 1636 IN SEINEM KRÄUTERBUCH
„THE HERBAL OR GENERAL HISTORIE OF PLANTES"

Wir wissen nicht, was die Botaniker veranlaßt haben mag, ausgerechnet dem Grapefruit-Baum unter den mehr als 60 Zitrusarten den vielsagenden Namen *Citrus paradisi* zu geben. Zur Zeit der Namensgebung konnten sie schwerlich etwas von dem verborgenen Schatz im Kern der Grapefruit geahnt haben. Die Eigenschaft seiner heute erkannten Wirkstoffe, den Körper von so vielen unerwünschten, krankmachenden Eindringlingen zu befreien, kann uns jedoch sicherlich dem „Paradies" ein Stückchen näher bringen.

Die älteste, heute bekannte Erwähnung des Grapefruit-Baumes stammt aus dem 17. Jahrhundert, als diese immergrünen, zwischen 4 und 25 Meter hohen Fruchtbäume von Botanikern auf der Karibik-Insel Barbados entdeckt wurden. Man nimmt an, daß es sich um eine Abart des Shaddock-oder Pomelo-Baumes handelte, der ursprünglich in Südostasien beheimatet ist und dort auch heute noch wild wächst. Der Name Grapefruit stammt aus dem Englischen und setzt sich zusammen aus „Grape" = Traube und „Fruit" = Frucht. Wahrscheinlich erhielt die Pflanze diesen Namen wegen der Eigenschaft ihrer Früchte, in Büscheln bzw. Trauben zu wach-

sen. Die Zitruspflanzen gehören zur Gattung der Rautengewächse (lateinisch „Rutaceae"). Die bekanntesten Arten sind:
Pampelmuse, Zitrone, Orange, Mandarine, Limone, Limonelle, Pomeranze, Bergamotte und natürlich die Grapefruit.

Der Grapefruit-Baum besitzt dunkelgrüne, ovale, glän-
zende Blätter und entwickelt duftende, weiße Blüten mit
jeweils 5 Kronblättern, die in Blütenständen angeordnet sind.
Die ersten Früchte erscheinen nach 4 bis 7 Jahren. Ein aus-
gewachsener Baum schenkt uns die riesige Menge von 500
bis 700 Früchten pro Jahr. Eine Frucht hat einen Durch-
messer von 10 bis 20 cm und wiegt je nach Züchtung zwischen 200 und 450 Gramm. Somit kann ein Grapefruit-Baum
in einer Saison bis zu 6 Zentner Früchte tragen.

Im Jahre 1823 wurde die Grapefruit erstmals von Barbados nach Florida (USA) gebracht und dort in immer größerem Stil angebaut. Heute werden allein in Florida, wo sich
die ausgedehntesten Grapefruit-Plantagen der Welt befinden,
pro Jahr über 2,5 Millionen Tonnen Grapefruit geerntet. Doch
auch in Spanien, Marokko, Israel, Jordanien, Südafrika, Brasilien, Mexiko, Jamaika sowie in Südostasien finden wir groß-
angelegte Anbaugebiete.

Die Früchte werden in riesigen Mengen zu Saft verarbeitet.
Vor allem in den USA ist Grapefruitsaft ein populärer Früh-
stückstrunk. Aber auch als gesunde Beilage zu Speisen und
Salaten wird Grapefruit in vielen Ländern sehr geschätzt.
Einige neuere Grapefruit-Züchtungen besitzen jedoch nur
noch wenige oder gar keine Kerne mehr. Dies zeigt, daß den
Samenkernen in vergangenen Zeiten kaum Beachtung
geschenkt wurde, da es für sie offensichtlich keine Verwendung gab.

Die Pflanzen, die sich auch mit weniger reichhaltigen Sand-
böden begnügen und einen Standort knapp über dem
Meeresspiegel bevorzugen, brauchen eine Durchschnitts-
temperatur von 25 Grad Celsius, um gut zu gedeihen. Frost
oder niedrige Temperaturen können sie ernsthaft schädigen.
Durch ihren bedingten Standort in warmen, sonnigen Ländern
speichern die Früchte eine tägliche Sonneneinstrahlung von

7 bis 8 Stunden. Während sie heranreifen, steigert sich ihr Gehalt an Fruchtzucker und Saft, während der Säuregehalt abnimmt. Die geernteten Früchte können nicht nachreifen, doch bleibt die reife Frucht am Baum über mehrere Monate lang frisch und kann während dieser Periode jederzeit geerntet werden.

Die Inhaltsstoffe

Das **Fruchtfleisch** der kugeligen, gelben Früchte des Grapefruit-Baumes wird vor allem zur Frucht- und Obstsaftherstellung verwendet, oft auch als Beimischung zu anderen Fruchtsäften. Der Saft enthält das bitter schmeckende Glykosid Naringin und ist reich an Vitamin C und B_1.

Die Hauptwirkstoffe der **Fruchtschale** sind: Pinen, Limonen, Linalool (Alkohol), Citral-Aldehyd, Ölgehalt: 21%. Diese Inhaltsstoffe sind allgemein anerkannt als Antidepressivum, erfrischend, durchblutungsfördernd und sie wirken stimulierend auf den Thalamus (Zwischenhirn), wodurch eine natürliche Aktivierung chemischer Abläufe im gesamten Organismus gefördert wird. Sie beflügeln die Gefühle und das Gemüt und steigern allgemein die Lebenslust. In fettem Öl gelöst ergeben sie ein interessantes Kombipräparat, beispielsweise in Massageölen, Duschgels oder Badezusätzen. Ferner haben die Substanzen der Grapefruitschale eine allgemein antiseptische Wirkung. Für 1 kg Fruchtschalenessenz werden bei Kaltpressung jedoch über 100 kg frische Fruchtschalen benötigt. Vor allem in der Aromatherapie gewinnt Grapefruitschalen-Öl heute immer mehr an Bedeutung.

Darüber hinaus enthält die Grapefruit-Fruchtschale Flavonoide (Flavon, lat.: gelber Pflanzenfarbstoff). Flavonoide wurden früher als Vitamin P bezeichnet und fanden in Mischpräparaten häufig zusammen mit Ascorbinsäure, Citrin, Hesperidin, Rutin und Quercetin Verwendung.

Die **Kerne** der Grapefruit enthalten vor allem Bioflavonoide und Glykosid in Form von Naringin (Naringenin Rutinosid), Isosakuranetin (Didymin), Neohesperidin, Hesperidin,

Dihydrokaempferol-Glykosid, Poncirin, Quercetin-Glykosid, Kaempferol-Glykosid, Apigenin Rutinosid, Rhoifolin, Hepta-mothoxyflavonid, Nobiletin sowie einige Proteine.

Der Extrakt wird gewöhnlich in großen Industrieanlagen in einem Mahl- oder Walzverfahren aus den Grapefruitker-nen gewonnen.

In seiner einzigartigen Kombination weist dieser natürliche Grundstoff eine stark wachstumshemmende Wirkung bei nahezu allen Bakterien, Viren und Pilzen auf, wie dies in unterschiedlichen Laboruntersuchungen und Testreihen so-wie am lebenden Organismus in mehreren Ländern nach-gewiesen wurde. (Für Interessenten sind am Ende dieses Buches im Kapitel „Wissenschaftliche Daten und Fakten" die Ergebnisse verschiedener Laboruntersuchungen ausführ-lich dargestellt.)

Über die wissenschaftlichen Erkenntnisse hinaus sollten wir bedenken, daß in jedem Samenkern der Grapefruit auch jeweils der gesamte genetische Bauplan eines neuen Grape-fruitbaumes mit all seinen spezifischen Anlagen steckt. Wir können im allgemeinen davon ausgehen, daß in jeder Art von Samen die gebündelten Kräfte der ganzen Pflanze vor-handen sind, einschließlich eines Schutzes vor dem Angriff schädlicher Einflüsse auf den Samen selbst. So handelt es sich auch im Falle des Grapefruitkern-Extrakts nicht nur um eine chemisch meßbare Zusammensetzung von einigen Grundstoffen, die hier zur Wirkung kommen, sondern um ein ganzes Geflecht von wirkenden Aspekten. Und gewiß werden zukünftige Forschungen hier noch weitere interes-sante Zusammenhänge zutage fördern.

Ein universelles Naturheilmittel
wird entdeckt

*Der Zufall
ist die in Schleier gehüllte
Notwendigkeit.*

MARIE FREIFRAU VON EBNER-ESCHENBACH
(1830 – 1916) AUS „APHORISMEN"

Es geschah im Jahre 1980 in einem Komposthaufen: Ein aufmerksamer Hobbygärtner bemerkte, daß die Grapefruit-kerne in seinem Kompost nicht verrotteten. Wie der Zufall es wollte, war besagter Hobbygärtner nicht nur ein Garten-liebhaber, sondern auch Arzt, „Einstein-Laureate"-Physiker und Immunologe, der sich auf die Erforschung natürlicher Heilmittel spezialisiert hatte. Neugierig geworden nahm Dr. Jocob Harich aus Florida – so der Name des Hobby-gärtners – das Phänomen in seinem Komposthaufen näher unter die Lupe. Das Ergebnis war mehr als bemerkenswert. In den Grapefruitkernen verbarg sich ein Stoff, der allem Anschein nach wirksamer und dabei unschädlicher war als jedes bekannte Antibiotikum.

Doch damit nicht genug. Die einsetzende Forschung durch eine Reihe renommierter Institute* förderte ein ungeahnt brei-tes Wirkungsspektrum zutage. Es stellte sich heraus, daß

---

* Darunter das „Pasteur Institut" in Frankreich, das „Institut für Mikro-ökologie" in Herborn, Deutschland, die Universität von Sao Paulo, Brasilien, die Universität von San Marcos in Lima, Peru, die „University of Georgia" in Athens, Georgia, USA, die „Universidad Autonóma de Nuevo" in Monterrey, Mexiko, die „Brigham Young University", Utha, USA, die „University of Arkansas", USA, die „University of Malaya", Malaysia, die „University of Ricardo Palma", Mexiko, das südamerikanische „Interlab Laboratory", S.A., das „Southern Research Institut", USA, das „US Department of Agriculture" und viele mehr.

der Extrakt aus den Kernen der Grapefruit nicht nur Viren und Bakterien unschädlich machte, sondern auch Hefe- und andere Pilze sowie Parasiten. Die Wirkung von konventionellen Antibiotika bleibt im Vergleich dazu allein auf Bakterien beschränkt.

„Sollten wir das beinahe perfekte Anti-Mikrobium gefunden haben?" Diese Frage stellte sich der bekannte amerikanische Arzt und Vortragsredner Dr. Allan Sachs aus dem legendären Woodstock, New York, nachdem er im Januar 1990 an einer klinischen Forschungsstudie über Dr. Harichs Extrakt teilgenommen hatte. Aufgrund seiner Erfahrungen und Forschungen im Bereich ganzheitlicher Medizin war er ausgewählt worden, die Wirkung des Grapefruitkern-Extrakts als natürliche Alternative zu chemisch hergestellten Mitteln der Keimkontrolle zu beurteilen. Gemeinsam mit einigen Kollegen erstellte er eine Liste von Kriterien für ein ideales Anti-Mikrobium, um sodann die Wirkung des Extrakts damit zu vergleichen. Zu seinem Erstaunen erfüllte Grapefruitkern-Extrakt jedes einzelne Kriterium.

1. Das ideale Anti-Mikrobium sollte ein möglichst breites Wirkungsspektrum besitzen, da im Falle einer Erkrankung die genauen Erreger bzw. Mischungen von Erregern selten mit Sicherheit bekannt sind. – Die bisherigen Forschungsergebnisse zeigen eine Wirkung des Grapefruitkern-Extrakts bei ca. 800 Bakterien- und Virenstämmen, bei ca. 100 Pilz-Stämmen sowie einer großen Anzahl von einzelligen Parasiten. Kein anderes bekanntes Anti-Mikrobium kann eine solche Vielseitigkeit aufweisen.

2. Seine Wirkung sollte stark und kraftvoll sein. – Grapefruitkern-Extrakt entfaltet seine antimikrobische Aktivität bei einer durchschnittlichen Konzentration von 1 000 Teilen pro Million oder einem Verhältnis von 1 zu 1 000. Dies entspricht 8 Tropfen (je nach Produkt) auf ein Glas Wasser. Zudem ist die bereits erwähnte Vielseitigkeit des Extrakts zugleich auch ein deutlicher Beweis seines Kraftpotentials. Auch im Vergleich zu anderen Mitteln zeigt Grapefruitkern-Extrakt hervorragende Ergebnisse. Ein internationales For-

scherteam* untersuchte 1989/90 die Wirkung von Grape-fruitkern-Extrakt an 770 Bakterienstämmen und 93 Pilzstäm-men und verglich sie mit 30 wirkungsvollen Antibiotika und 18 Antimykotika (Pilzmittel). Hierbei zeigte sich Grapefruit-kern-Extrakt allen getesteten Mitteln ebenbürtig. Ähnliche Ergebnisse werden vom "Great Smokies Laboratory" in Ashville, North Carolina, berichtet, einem führenden Zentrum für Stuhlanalysen, wo Grapefruitkern-Extrakt routinemäßig zusammen mit anderen natürlichen und chemischen Anti-biotika an den verschiedensten Keimkulturen getestet wird. Auch in diesen Untersuchungen waren die Testergebnisse von Grapefruitkern-Extrakt absolut hervortretend.

3. Das ideale Anti-Mikrobium sollte keinerlei toxische Wirkungen zeigen. – Zu diesem Punkt möchten wir eine kleine Begebenheit erzählen, die dem Präsidenten des Bio/Chem Research Instituts, Lakeport, USA, Richard Starr, berichtet wurde. In Peru, wo Grapefruitkern-Extrakt zur Desinfektion landwirtschaftlicher Erzeugnisse eingesetzt wird, trank ein betrunkener Landarbeiter versehentlich ca. 100 ml des flüssigen Extrakts, den ein Spaßvogel in eine Whiskyflasche gefüllt hatte. Diese ungewöhnlich hohe Dosis nützte jedoch mehr, als daß sie schadete. Der Landarbeiter wurde dadurch alle möglichen Würmer los und meinte, er hätte sich noch nie so gut gefühlt.

Gemäß der wissenschaftlichen Forschung würde der Grenzwert zur Vergiftung z. B. bei einem 80 kg schweren Menschen bei der 4 000fachen Menge einer normalen Dosis von 10 – 12 Tropfen liegen. Dies bedeutet, daß er theore-tisch etwa 1,3 Liter Grapefruitkern-Extrakt trinken müßte, um sich extrem zu vergiften.

4. Das ideale Anti-Mikrobium sollte keine schwächende Wirkung auf das Immunsystem besitzen. – Dieses Kriterium wird mehr als nur erfüllt. In der Tat wird Grapefruitkern-

* Ionescu, G./Kiel, R./Wichmann-Kunz, F./Williams, Ch./Bäuml, L./ Levine, S.: "Oral Citrus Seed Extract in Atopic Eczema: In vitro and in vivo studies on Intestinal Microflora", Journal of Orthomolecular Medicine, Volume 5, No. 3, USA, 1990

Extrakt bei den verschiedensten Immunschwäche-Krankheiten mit Erfolg eingesetzt, da seine breitgefächerte antimikrobische Aktivität das Immunsystem enorm entlastet.

5. Die nützliche Bakterienflora sollte intakt bleiben. – Erste Forschungen deuten darauf hin, daß Grapefruitkern-Extrakt bei normaler Dosierung trotz seiner hemmenden Wirkung auf schädliche Darmbakterien die wichtigen Bifidobakterien nicht antastet und die Laktobakterien nur unbedeutend verringert. Darüber hinaus scheint es, daß durch die Vernichtung von Hefepilzen und anderen Krankheitserregern die nützliche Darmflora sehr viel besser gedeihen kann.

6. Das ideale Anti-Mikrobium sollte ein Naturprodukt sein, da synthetische Chemikalien unvorhersehbare Kurz- oder Langzeitnebenwirkungen auf den Körper besitzen können. – Die Grapefruit ist mit allen ihren Teilen ein Geschenk der Natur. Der Extrakt wird durch Zermahlen der Kerne und zu einem geringeren Teil aus den Membranen des Fruchtfleisches hergestellt und erfüllt somit auch diesen Punkt.

7. Das ideale Anti-Mikrobium sollte hypoallergen sein, da viele Menschen allergisch auf handelsübliche Antibiotika reagieren. – Die meisten Ärzte haben bei der Anwendung von Grapefruitkern-Extrakt keinerlei allergische Reaktionen feststellen können. Dr. Allan Sachs weist jedoch darauf hin, daß ca. 3 bis 5 % aller Menschen gegen Zitrusfrüchte allergisch sind und daher auch sensitiv auf den Grapefruitkern-Extrakt reagieren können. Diese Menschen sollten mit einer geringen Dosierung beginnen und den etwas weniger säurehaltigen pulverisierten Extrakt gegenüber der flüssigen Form bevorzugen.

Zwei weitere Kriterien betrafen die Kostengünstigkeit und die ausreichende wissenschaftliche Erforschung. Auch diese beiden Punkte werden in bezug auf den Grapefruitkern-Extrakt zufriedenstellend erfüllt.

Nach diesen überzeugenden Ergebnissen und einer ausreichenden Menge Eigenerfahrung veröffentlichte Dr. Allen Sachs eine Reihe von Artikeln in amerikanischen Zeitschriften, die zusammen mit anderen Veröffentlichungen für ein wachsendes Interesse sorgten. Immer mehr ganzheitlich arbeitende Ärzte und Heilkundige wurden auf den neuen Stoff aufmerksam und begannen, ihn ihren Patienten als nebenwirkungsfreie und effektive Alternative zu synthetischen Präparaten zu verschreiben.

Heute gibt es eine ganze Reihe von Ärzten, die auf eine jahrelange Erfahrung mit dem Grapefruitkern-Extrakt zurückblicken können. Die häufigsten Anwendungen liegen im Bereich der Magen-Darm-Erkrankungen, Hefepilzinfektionen, Erkältungskrankheiten, Infektionen im Hals-, Nasen- und Ohrenbereich, Nagel- und Hautpilzerkrankungen, Zahnfleischentzündungen und Scheideninfektionen, um nur einige zu nennen. Ein wichtiger Anwendungsbereich ist zudem die Unterstützung des Immunsystems und der Schutz vor der Ausbreitung von Infektionen bei Patienten mit chronischen Immunschwäche-Symptomen wie AIDS, chronischer Müdigkeit oder Candida. Außerdem werden ständig neue Anwendungsmöglichkeiten entdeckt.

Die Beurteilung von Ärzten, die über ein ausreichendes Potential an Erfahrungen mit dem Grapefruitkern-Extrakt verfügen, ist in der Tat überwältigend positiv. Sie schätzen den Extrakt nicht nur wegen seines unglaublich breiten Anwendungsspektrums und seiner Wirksamkeit auch in jenen Bereichen, wo andere Mittel versagen, sondern auch wegen seiner hohen Verträglichkeit bei ihren Patienten.

„Diese besondere Substanz hat etwas Einzigartiges. Wir wissen nicht, was die Wirkung eigentlich hervorbringt, doch geschieht es ohne Nebenwirkungen. Sie hat den großen Vorteil, sehr sicher zu sein." Diese Aussage stammt von dem Internisten Dr. Leo Galland aus New York, der seinen Patienten den Extrakt bereits seit sieben Jahren verschreibt und verschiedene Berichte über seine Wirkung bei *Candida* veröffentlicht hat. Voll des Lobes ist auch Dr. med. Louis Parish, ein Untersuchungsbeauftragter des amerikanischen Gesundheitsministeriums und der FDA (Food and Drug Administration), der viele Menschen mit Darmerkrankungen behandelt hat: „Grapefruitkern-Extrakt bewirkt einen größeren Rückgang von Symptomen als jede andere Behandlung."

Der Kinderarzt und Gesundheitskorrespondent der sehr populären amerikanischen Fernsehsendung „Home Show", Dr. Jay N. Gordon aus Californien, hebt die hohe Wirksamkeit bei den so häufigen und schwer zu kurierenden Hefepilzinfektionen im Mund und Windelbereich seiner kleinsten Patienten hervor. In einem Brief an einen der Hersteller des Grapefruitkern-Extrakts lobt er zudem dessen vollkommene Ungiftigkeit: „Sie besitzen eine ausgezeichnete, extrem sichere Formel, die nach meiner Erfahrung selbst für die jüngsten Babys in meiner Praxis vollkommen unschädlich ist." Der deutsche Arzt Dr. med. Klaus Küstermann, Baden-Baden, der ebenfalls über einen großen Erfahrungsschatz mit Patienten verfügt, traf die Feststellung: „Grapefruitkern-Extrakt ist meiner Meinung nach das absolut beste und wirksamste Antibiotikum und natürlichste Fungizid, das uns die Natur schenkt."

Auch bei den *Anwendern* von Grapefruitkern-Extrakt trafen wir auf eine außerordentliche Begeisterung. Oft wunderten sie sich, wie schnell ihre Symptome verschwanden, wie ein paar Tropfen des Extrakts, verdünnt in einem Glas Wasser getrunken, Durchfall oder eine Grippe stoppen konnten, wie Ekzeme, Hautpilze, Schuppen, Warzen und Schweißfüße verschwanden. Viele konnten es kaum glauben, als ihre chronische *Candida* in Scheide oder Darm oder ihre langjährige Zahnfleischentzündung endlich ausheilte, nachdem kein anderes Mittel einen dauerhaften Erfolg gezeigt hatte. Andere lernten Grapefruitkern-Extrakt als unverzichtbaren Reisebegleiter schätzen, der gegen Lebensmittelvergiftung und Cholera ebenso half wie bei kleinen Wunden, und in manch einer Hausapotheke ist der Extrakt inzwischen ein unverzichtbares Mittel geworden.

Bei all dem scheint das Potential des Grapefruitkern-Extrakts noch lange nicht voll erschlossen zu sein. An verschiedenen Instituten wird seine Wirkung weiterhin getestet, so beispielsweise am Pasteur-Institut in Frankreich, dem führenden europäischen Institut in der Erforschung von AIDS, das die Wirksamkeit des Extrakts bei dem HIV-Virus untersucht. Weitere Tests und Untersuchungen laufen derzeit unter anderem in Kanada, Dänemark, Deutschland und Korea. Auch setzt sich die allgemeine Anerkennung allmählich auf breiterer Basis durch. So ist die Substanz in Österreich bereits als Mittel der Wahl gegen *Candida* anerkannt, und in Mexiko ist sie ein gemeinhin akzeptiertes Mittel bei verschiedenen Durchfallerkrankungen.

Doch erstrecken sich die Anwendungsmöglichkeiten des Grapefruitkern-Extrakts nicht allein auf den humanmedizinischen Bereich. Tiere profitieren ebenso von diesem höchst wirkungsvollen, unschädlichen Anti-Mikrobium. In Dänemark setzen Biobauern den Extrakt mit ausgezeichneten Ergebnissen in der Tierhaltung ein. In Großzucht- und Mastanlagen für Schweine und Rinder wie auch in der Pferdezucht konnten die Krankheits- und Todesfälle durch Zugaben von pulverisiertem Grapefruitkern-Extrakt im Futter drastisch verringert werden. In der Geflügelhaltung gab es so gut wie keinen „Ausschuß" mehr. (Obwohl wir prinzipiell Großzucht- und Mastanlagen nicht für wünschenswert halten, wollen wir diese Ergebnisse dennoch erwähnen. Bei den betroffenen Farmen wurde Grapefruitkern-Extrakt im Rahmen einer ganzheitlichen, gesunden Ernährung und Tierhaltung eingesetzt.)

Ein Bauer aus Dänemark berichtete, daß vor der Anwendung von Grapefruitkern-Extrakt von den 30 Ferkeln, die jährlich auf seiner Farm geboren wurden, nur noch 16 überlebten. Der Rest starb an PRRS (Porcine Reproduktive Respiratory Syndrome). Die Tierärzte wußten keine Abhilfe. Nachdem der Bauer den Extrakt eingeführt hatte, ist kein einziges Schweinchen mehr verendet. Einem anderen Bauern wurde geraten, seine an Mastitis leidenden Kühe zu schlachten. Mit Hilfe von Grapefruitkern-Extrakt wurde die Mastitis über Nacht geheilt, und die Kühe geben inzwischen wieder ihre normale Menge an Milch.

Ein weiteres, ermutigendes Beispiel für die Anwendung bei Tieren wurde aus Peru gemeldet. Seit vielen Jahren bereitete dort die hohe Sterblichkeitsrate unter den Alpakas durch verschiedene Infektionskrankheiten Sorgen. Impfungen und die Behandlung mit Antibiotika hatten keine verläßlichen Resultate gebracht. Bei einem Versuch mit Grapefruitkern-Extrakt, durchgeführt von Dr. Guillermo Calderon, Professor für Immunologie an der Universität von San Marcos in Lima, Peru, kam endlich eine Lösung des Problems in Sicht. Die Sterblichkeitsrate dieser anmutigen Tiere, die uns mit einer der weichsten und feinsten Wollsorten versorgen, konnte von 50 auf 2 % gesenkt werden.

Auch Fische können von den besonderen Eigenschaften des Grapefruitkern-Extrakts profitieren. In Chile testete der Zoologe Dr. Carlos Roman den Extrakt als Mittel gegen sauerstoffraubenden Algenbefall in Fischtanks, in denen Lachse gezüchtet wurden. Während die Tanks frei von Algen blieben, konnte er keinerlei toxische Wirkung auf die Fische feststellen. Im Gegenteil! In niedriger Konzentration ist Grapefruitkern-Extrakt auch für Fische gesundheitsfördernd.

Viele Menschen, die die wohltuenden Wirkungen des Grapefruitkern-Extrakts an sich selbst schätzen gelernt haben, probieren ihn auch bei ihren Haustieren aus. Tierbesitzer berichteten uns begeistert, endlich eine wirkungsvolle, natürliche und gesunde Alternative zu den üblichen chemischen Wurmmitteln gefunden zu haben. Pilzerkrankungen konnten bei Tieren ebenso effektiv geheilt werden wie beim Menschen, und auch so manch lästiges Ungeziefer fühlt sich in einem mit Grapefruitkern-Extrakt besprühten Fell offenbar nicht mehr wohl. Liebhaber lebender Fische schätzen sich glücklich, das Wasser im Aquarium nun auf einfache und ungiftige Weise frei von Algen halten zu können.

Doch waren mit der Anwendung bei Mensch und Tier die Möglichkeiten des Grapefruitkern-Extrakts noch lange nicht erschöpft. In Mittel- und Südamerika, wo aufgrund der sehr warmen Temperaturen die landwirtschaftlichen Produkte sehr schnell durch Schimmelpilze und Bakterien vernichtet werden können, fand der Extrakt schon bald als wirksames und kostengünstiges schimmel- und fäulnishemmendes Mittel weite Verbreitung. Dort wird er für Getreide, Obst und Gemüse ebenso eingesetzt wie zur Desinfektion und Haltbarmachung von Fisch und Fleisch. Ein Versuchstest ließ keinen Zweifel an der Wirksamkeit des Grapefruitkern-Extrakts als Konservierungsmittel: Die Haltbarkeit von Obst und Gemüse konnte auf das 3- bis 4fache gesteigert werden. Biobauern in Dänemark setzen den Extrakt als natürliches Schädlingsbekämpfungsmittel bei Kartoffeln, Lauch und Karotten ein.

Auch die kosmetische Industrie reagierte auf die überaus positiven Studienergebnisse über die vielseitige, keimtötende Wirkung dieses Extrakts. Ein ungiftiger, geruchloser, natürlicher Konservierungsstoff war genau das, wonach viele Hersteller suchten, die ihre Produkte von chemischen Konservierungsmitteln freihalten wollen. Die üblicherweise eingesetzten Chemikalien sind oft toxisch und können zudem die Wirkung einiger Kräuterinhalte herabsetzen. Grapefruitkern-Extrakt scheint die Haltbarkeit dieser Produkte hingegen nicht nur auf bewundernswerte Weise zu steigern, sondern darüber hinaus die Aktivität vieler Kräuterprodukte zu verstärken.

Als natürliches, unschädliches Desinfektionsmittel hielt Grapefruitkern-Extrakt zudem in vielen Haushalten seinen Einzug und ist ganz besonders dort willkommen, wo kleine Kinder leben. Einige Tropfen, in die diversen Haushaltsreiniger, Geschirrspül- oder Waschmittel gegeben, sorgen auf natürliche Weise für eine keimfreie Umgebung.

In den USA wird die keimabtötende Wirkung des Grapefruitkern-Extrakts heute auch schon in vielen Krankenhäusern geschätzt, wo er vor allem bei der Reinigung von Bettwäsche und Teppichböden eingesetzt wird – den beliebtesten Aufenthaltsorten von Bakterien, Pilzen und anderen pathogenen Mikroorganismen. Jerry Skidmore, Manager und Reinigungsfachmann der Wäscherei für das „Florida Hospital", USA, schrieb dazu: „Ich besitze eine 30jährige Erfahrung im Wäschereibetrieb, und erst seit der Anwendung von Grapefruitkern-Extrakt habe ich das ruhige Gewissen und die Sicherheit, daß die Patienten in unserem Krankenhaus und den anderen, die wir beliefern, einen vollkommenen Schutz vor Bakterien- und Pilzinfektionen haben, die durch die Bettwäsche übertragen werden können. Selbst nach vielen Stunden, in denen unsere Bettwäsche den verschiedenen Bakterien ausgesetzt war, die immer in Krankenhäusern gegenwärtig sind, konnten bei Tests keinerlei schädliche und pathogene Organismen gefunden werden." In höheren Konzentrationen wird Grapefruitkern-Extrakt auch zur Sterilisierung und Desinfektion von Operationssälen sowie von medizinischen Geräten wie beispielsweise Inhalatoren eingesetzt.

Ein großer Anlaß zur Sorge ist in vielen Krankenhäusern die Resistenz von einer zunehmenden Anzahl von Krankheitserregern gegenüber den üblichen Desinfektionsmitteln. Auch hier bietet sich mit dem Grapefruitkern-Extrakt eine wirkungsvolle und völlig ungiftige Alternative an.

Außerdem leistet Grapefruitkern-Extrakt hervorragende Dienste bei der Desinfektion der Haut als postoperative Maßnahme. Im Gegensatz zu den üblichen Mitteln greift er nur die Bakterien und nicht die Haut an. Dr. J. A. Botine von der Universität von Sao Paulo, Brasilien, konnte bei einem Test eine 100%ig desinfizierende Wirkung des Extrakts feststellen, gegenüber 98 % Effektivität der handelsüblichen Mittel und einer nur 72%igen Effektivität bei der Verwendung von Alkohol.

Eine weitere, vielversprechende Einsatzmöglichkeit für den Grapefruitkern-Extrakt ist die Trinkwasseraufbereitung. In vielen Ländern, Städten und Gemeinden wird nach gesundheitlich unbedenklicheren, kostengünstigeren und fortschrittlicheren Methoden zur Klärwasser-Aufbereitung gesucht. Man weiß heute, daß durch den Einsatz von Chlor für diesen Zweck Langzeitschäden nicht ausgeschlossen werden können. So kann beispielsweise die empfindliche Darmflora durch gechlortes Wasser geschädigt werden. Zudem sind verschiedene krankheitserregende Mikroorganismen wie z. B. *Giardia lamblia* gegen Chlor resistent geworden.

In zwei voneinander unabhängigen Tests, durchgeführt von dem Mikrobiologen John R. Carson und dem Armodillo Umweltdienst, USA, wurde erwiesen, daß sich Grapefruitkern-Extrakt hervorragend zur Klärwasseraufbereitung eignet. Ein Zusatz von etwa 350 Liter Grapefruitkern-Extrakt (Citricidal® aus den USA) auf 1 Million Liter Wasser genügte, um die Anzahl von fäkalen Coliform-Bakterien dauerhaft auf weniger als 1 pro 100 ml zu senken, während ein Wert von 200 pro 100 ml offiziell als akzeptabel gilt. Fügen wir dieser Effektivität die Ungiftigkeit hinzu, so verfügen wir hier über ein ideales umweltfreundliches Mittel zur Klärwasseraufbereitung.

Im Jahre 1994 wurde der dänische Experte Knud Dencker-Jensen von seiner Regierung beauftragt, im Rahmen eines Entwicklungshilfeprojektes in Thailand ein praktikables Konzept zur biologischen Trinkwasseraufbereitung zu entwickeln. Hierzu setzte er Grapefruitkern-Extrakt ein – mit bestem Erfolg. Hoffen wir, daß solche Projekte Nachahmer in vielen Ländern finden werden.

In Südamerika wird Grapefruitkern-Extrakt schon seit geraumer Zeit als Ersatz für Chlor in einer Vielzahl von öffentlichen Schwimm- und Badeanstalten eingesetzt, und zwar besonders dort, wo die leichte Trübung des Wassers durch den Extrakt keine Rolle spielt. Soll die absolute Klarheit des Wassers erhalten bleiben, wird nur ein Teil des Chlors durch Grapefruitkern-Extrakt ersetzt. Auch manch ein privater Whirl- oder Swimmingpool-Besitzer genießt dank des Wunders im Kern der Grapefruit bereits ein chlor- und somit geruchfreies Badevergnügen.

Bleibt nur noch die schnelle, biologische Abbaubarkeit zu erwähnen. Ergebnisse einer 5jährigen Studie in den USA mit wiederholten Versuchen, in denen verschieden starke Verdünnungen über die Erde versprüht wurden, zeigten einen vollständigen Abbau des Grapefruitkern-Extrakts nach 1 bis 8 Tagen. Der Extrakt wurde daraufhin in den USA als „nicht ökotoxisch" anerkannt. Wunderbar!

Anmerkung zum Gebrauch von flüssigem Grapefruitkern-Extrakt

Die Dosierungshinweise in den folgenden Kapiteln beziehen sich auf eine handelsübliche Verdünnung von ein Drittel Grapefruitkern-Basis-Extrakt (bestehend aus 60 % Grapefruitkern-Anteil und 40 % Glycerin veg. U.S.P.), dem zwei Drittel Glycerin oder Wasser hinzugefügt sind. Diese Verdünnung wird auf der Verpackung in der Regel als 33 % Wirkstoffgehalt bzw. Grapefruitkern-Extrakt oder Citricidal® und 67 % Glycerin bzw. Wasser deklariert. (Sie enthält jedoch genaugenommen nur 20 % Grapefruitkern-Extrakt-Anteil, da der Basis-Extrakt bereits 40 % Glycerin beinhaltet. Eine Angabe von 20 % Grapefruitkern-Extrakt auf der Verpackung wäre somit korrekter, und mehr und mehr Firmen gehen zu dieser Angabe über.) Wo große Mengen benötigt werden, wie beispielsweise im Schwimmbad oder zur Desinfektion großer Anlagen, beziehen sich unsere Dosierungshinweise auf den verdünnten, 60%igen Basis-Extrakt. Dies wird jedoch im Text jeweils gesondert vermerkt.

Der Tropfengröße haben wir eine Norm von 30 Tropfen = 1 ml zugrundegelegt.

Wir haben uns darum bemüht, daß von allen Herstellern die gleiche Zusammensetzung, Dosierung und Tropfengröße angeboten wird, um Dosierungsverschiebungen bei Produkten unterschiedlicher Hersteller zu vermeiden. Doch bitten wir darum, immer auch die Zusammensetzung sowie die Dosierungsangaben auf der Verpackung zu beachten.

Grapefruitkern-Extrakt zur äußeren Anwendung

Es gibt eine große Bandbreite von Symptomen, bei denen sich Grapefruitkern-Extrakt äußerlich einsetzen läßt. Wo immer Bakterien, Viren, Pilze oder Parasiten Erkrankungen der Haut oder der Schleimhäute hervorgerufen haben, kann der Extrakt durch das Abtöten der Krankheitserreger die Voraussetzung für Heilung schaffen. Von den unerwünschten Mikroorganismen befreit, kann der Körper den Heilungsprozeß problemlos vollziehen. Wer ein übriges tun will, kann die Regeneration der Haut und Schleimhäute beispielsweise durch *Aloe vera* unterstützen.

Bei der äußeren Anwendung von Grapefruitkern-Extrakt steht uns ein großer Erfahrungsschatz zur Verfügung. Naturheilkundlich arbeitende Ärzte und Heilpraktiker, die den Extrakt ihren Patienten verschreiben, berichten von außerordentlich guten Heilungserfolgen.

Grapefruitkern-Extrakt sollte in der Regel nicht unverdünnt angewandt werden. Die wenigen Ausnahmen zu dieser Regel haben wir im Text gesondert erwähnt. Bei einigen Anwendungen ist es angebracht, den Extrakt mit Öl anstelle von Wasser zu verdünnen. Dazu eignen sich besonders Mandel-, Oliven-, Sesam- oder Avocadoöl. Der Extrakt sollte immer gut mit dem Wasser oder Öl verrührt werden. Bitte Grapefruitkern-Extrakt niemals in die Augen bringen, da er zu starken Reizungen führen kann. *Im Notfall sofort die Augen gründlich mit warmem Wasser ausspülen und gegebenenfalls den Arzt konsultieren.*

Bei der Anwendung von Grapefruitkern-Extrakt-Fertigprodukten bitte immer auch die Anwendungshinweise und Dosierungsangaben auf der Packung beachten. Im Zweifelsfalle den Arzt, Apotheker oder Therapeuten um Rat fragen.

Mund und Lippen

Antiseptische Mundspülung

Grapefruitkern-Extrakt gilt als eine ideale, natürliche Mundspülung mit starker antiseptischer Wirkung. Schädigende Bakterien und Keime werden eliminiert und deren Neubildung verzögert. 3mal täglich mit 5 Tropfen Extrakt auf ein Glas Wasser ausgiebig gurgeln. Die Spülung sorgt für nachhaltig frischen Atem.

Aphten der Mundschleimhaut

Aphten sind schmerzhafte kleine Geschwüre, hervorgerufen durch reaktivierte Herpes-Viren. Den Mund regelmäßig mehrmals täglich mit 10 Tropfen Grapefruitkern-Extrakt auf ein Glas Wasser ausspülen. Zusätzlich die Aphten mit einer Lösung aus 2 Tropfen Extrakt auf 1 Eßlöffel Wasser mittels eines Wattestäbchens betupfen.

Mundfäule (Stomatitis ulcerosa)

Etwa 10 Tropfen Grapefruitkern-Extrakt in ein Glas lauwarmes Wasser geben, gut verrühren und mehrmals täglich den Mund damit ausspülen sowie damit gurgeln. Gleichzeitig sorgt Grapefruitkern-Extrakt für gesundes Zahnfleisch und frischen Atem.

Soor (Pilzbefall im Mundraum)

Soor zeigt sich als weißlicher Belag im Mund und wird durch den Hefepilz *Candida albicans* hervorgerufen. Zur Behandlung etwa 3mal täglich mit 5 – 10 Tropfen Grapefruitkern-Extrakt auf ein Glas Wasser den Mundinnenraum gründlich ausspülen. Bei Kindern ist das weniger bittere Pulver zu empfehlen. Dazu eine Kapsel öffnen und die Hälfte des Pulvers in einem Glas Wasser verrühren. Falls nötig, zur Geschmacksverbesserung etwas Fruchtsaft hinzufügen. Der Pilz setzt sich gern an Schnullern und Saugern von Babyfläschchen fest und kann so zu einer ständigen Neuinfektion führen. Zur Desinfektion regelmäßig für ca. 20 Minuten in eine Lösung von 20 Tropfen auf 1 Liter Wasser legen. Danach sehr gut abspülen.

Mundgeruch

Mundgeruch kann durch Bakterien im Mundinneren, Verwesung von Zähnen oder Gärung im tieferen Verdauungstrakt hervorgerufen werden.

Mehrmals täglich mit einigen Tropfen Grapefruitkern-Extrakt auf ein Glas Wasser den Mund ausspülen und gurgeln. Sorgt für nachhaltig frischen Atem. Gegebenenfalls auch innerlich anwenden.

Spröde Lippen

Einige Tropfen Grapefruitkern-Extrakt mit einem Eßlöffel Öl verdünnen und mehrmals täglich auftragen. Die im Handel befindliche Grapefruitkern-Zahncreme hat sich ebenfalls bewährt. Sie enthält zusätzlich Calendula und Glycerin und wird direkt auf die Lippen gegeben. Auch Grapefruitkern-Salbe ist hier geeignet.

Lippen-Sonnenbrand/-Gletscherbrand

Zur Vorbeugung von Infektionen 2mal täglich eine Mischung aus einigen Tropfen Grapefruitkern-Extrakt und einem Eßlöffel Öl auftragen. Auch die im Handel erhältliche Salbe hat sich bewährt.

Lippenherpes (Herpes simplex)

Die Lippenbläschen entstehen durch eine Reaktivierung schlafender Herpes-Viren. 2- bis 3mal täglich einige Tropfen Grapefruitkern-Extrakt mit einem Eßlöffel Öl vermischt mittels eines Tupfers oder Wattestäbchens auf die betroffenen Stellen auftragen. Das Präparat auch über Nacht einwirken lassen. Bei jedem Anzeichen erneuter Bläschenbildung nochmals anwenden.

Zähne und Zahnfleisch

Plaque

Plaque ist ein bakterieller Zahnbelag , der als Ursache von Karies und Parodontose gilt. 1 – 2 Tropfen Grapefruitkern-Extrakt auf die feuchte Zahnbürste geben und die Zähne 3mal täglich ausgiebig damit putzen. Auch kann die im Handel erhältliche Grapefruitkern-Zahncreme dazu verwendet werden. Zusätzlich 5 – 10 Tropfen Grapefruitkern-Extrakt in das Zahnputzwasser geben. Zur Reinigung der Zahnzwischenräume Zahnseide mit Grapefruitkern-Extrakt tränken oder einige Tropfen in die Munddusche geben. Grapefruitkern-Extrakt kann Plaque sehr wirksam verhindern.

Karies (Zahnfäule)

Karies ist ein Entmineralisierungsvorgang des Zahnschmelzes und der Zahnhartsubstanz, hervorgerufen durch die Stoffwechselvorgänge der Plaque-Bakterien. Behandlung wie unter „Plaque" angegeben.

Zahnschmerzen

Mit 10 Tropfen Grapefruitkern-Extrakt auf ein Glas Wasser mehrmals täglich gurgeln. Auch kann ein Wattebausch mit 3 Tropfen Extrakt auf einen Eierbecher Wasser getränkt und direkt auf den schmerzenden Zahn gelegt werden.

Zahnextraktion

Zur Desinfizierung der Wunde wird empfohlen, mit einer Lösung von 10 Tropfen Grapefruitkern-Extrakt auf ein Glas Wasser zu gurgeln. Hierdurch lassen sich Wundinfektionen verhindern, und der Schmerz wird gelindert.

Zahnfleischentzündungen (Gingivitis)

Eine Zahnfleischentzündung entsteht durch die Stoffwechselprodukte der Plaque-Bakterien, die als Zellgifte wirken und das Zahnfleisch angreifen. Die Gingivitis geht meist mit **Zahnfleischbluten** einher. Grapefruitkern-Extrakt hat sich auch hier ausgezeichnet bewährt. Die Blutungen gehen oft schon nach kurzer Zeit zurück. Zur Behandlung 1 bis 2 Tropfen auf die angefeuchtete Zahnbürste geben und die Zähne 3mal täglich gründlich damit putzen. Zum Spülen 5 – 10 Tropfen in den Zahnputzbecher geben. Auch ein Zusatz zur Mundusche ist empfehlenswert. Bei starken Beschwerden können einige Tropfen des Extrakts mit einem Eierbecher Wasser gemischt auf einen feuchten Wattestreifen gegeben und täglich einige Minuten auf das Zahnfleisch aufgelegt werden.

Zahnbürstenreiniger

Die Zahnbürste beherbergt sehr häufig die gleichen Bakterien, die uns in unserem Mund Probleme bereiten. In der Feuchtigkeit zwischen ihren Borsten finden sie eine willkommene Brutstätte. Grapefruitkern-Extrakt eignet sich hervorragend, um die unwillkommenen Keime abzutöten und so eine eventuelle Neuinfizierung zu verhindern. 10 Tropfen Extrakt auf ein Glas Wasser geben, gut verrühren und die Zahnbürste für ca. 15 Minuten hineinstellen oder auch über Nacht darin liegen lassen. Vor der nächsten Benutzung gut abspülen, um die toten Keime zu beseitigen. *Das Wasser im Glas sollte alle paar Tage erneuert werden.*

Nase und Nasennebenhöhlen

Nasenspülung

Etwa 3 Tropfen Grapefruitkern-Extrakt auf einen Eierbecher lauwarmes Wasser geben, gut verrühren und einige Tropfen der Mischung bei zurückgelegtem Kopf mittels einer Pipette in beide Nasenlöcher träufeln. Den Kopf hin und her, vor und zurück bewegen und die Luft einige Male intensiv einziehen. Danach kräftig ausschnauben. *Den Extrakt nicht unverdünnt in die Nase einträufeln.*

Schnupfen (Rhinitis)

Mit einer Lösung aus 3 Tropfen Grapefruitkern-Extrakt auf einen Eierbecher Wasser mit einem Wattestäbchen den Naseninnenraum mehrmals täglich betupfen. Falls vorhanden, Grapefruitkern-Extrakt-Schnupfenspray (Nasal-Spray) 3mal täglich in die Nase sprühen. Zusätzlich sollte Grapefruitkern-Extrakt innerlich angewandt werden. (Siehe hierzu die Angaben im Kapitel „Grapefruitkern-Extrakt zur inneren Anwendung".)

Nasenulkus (Geschwür in der Nase)

Mit einer Lösung von 3 Tropfen Grapefruitkern-Extrakt auf einen Eierbecher Wasser die betroffene Region täglich mehrmals mit einem Wattestäbchen abtupfen.

Nasennebenhöhlenentzündung (Sinusitis)

Mehrmals täglich eine Nasenspülung (siehe oben) durchführen oder Grapefruitkern-Extrakt-Schnupfenspray (Nasal-Spray) anwenden. Darüber hinaus sollte der Extrakt auch innerlich eingesetzt werden. (Siehe hierzu die Angaben im Kapitel „Grapefruitkern-Extrakt zur inneren Anwendung".)

Hals und Rachenraum

Halsschmerzen/Halsentzündung/Angina

10 Tropfen Grapefruitkern-Extrakt auf ein Glas lauwarmes Wasser geben und 5- bis 6mal täglich mit der Lösung ausgiebig gurgeln. Darüber hinaus sollte der Extrakt auch innerlich eingesetzt werden. (Siehe hierzu die Angaben im Kapitel „Grapefruitkern-Extrakt zur inneren Anwendung".)

Husten

Mit 10 Tropfen Grapefruitkern-Extrakt auf ein Glas lauwarmes Wasser mehrmals täglich gurgeln. Falls im Handel erhältlich, können auch Grapefruitkern-Hustenmedikamente wie Sprays oder Lutschtabletten eingesetzt werden. Zusätzlich sollte der Extrakt auch innerlich angewandt werden. (Siehe hierzu die Angaben im Kapitel „Grapefruitkern-Extrakt zur inneren Anwendung".)

Heiserkeit

3mal täglich mit einer Lösung aus 10 Tropfen Grapefruitkern-Extrakt auf ein Glas lauwarmes Wasser gurgeln. Ein Produkt, das gleichzeitig auch Glycerin enthält, ist hierbei besonders empfehlenswert. Viele Sänger (beispielsweise Mick Jagger) nehmen Glycerin, um ihre Stimmbänder geschmeidig zu halten.

Kehlkopfentzündung (Laryngitis)

Anwendung wie zuvor: 3mal täglich ca. 10 Tropfen Grapefruitkern-Extrakt auf ein Glas lauwarmes Wasser geben und damit gurgeln.

Ohren

Ohrenreinigung

10 Tropfen Grapefruitkern-Extrakt mit einem Eierbecher Glycerin oder Öl gut verrühren. Von dieser Mischung 1- bis 2mal täglich einige Tropfen in die Ohren träufeln. *Den Extrakt nie unverdünnt ins Ohr bringen!*

Ohrenschmerzen

Anwendung wie unter „Ohrenreinigung". Auch können die im Handel angebotenen Grapefruitkern-Extrakt-Ohrentropfen angewandt werden.

Mittelohrentzündung (Otitis media)

Anwendung wie unter „Ohrenreinigung". Auch hier können die im Handel angebotenen Grapefruitkern-Extrakt-Ohrentropfen eingesetzt werden. Zusätzlich ist die innerliche Einnahme zu empfehlen. (Siehe hierzu die Angaben im Kapitel „Grapefruitkern-Extrakt zur inneren Anwendung".)

Ohrmilben

Mische 10 Tropfen Grapefruitkern-Extrakt auf einen Eierbecher Glycerin oder Öl. Diese Mischung mit einem Wattestäbchen in das Ohr und die äußere Ohrmuschel tupfen.

Gesicht

Akne/Unreine Haut/Pickel

Das Gesicht anfeuchten, ca. 5 Tropfen des Extrakts in den feuchten Händen verreiben und gründlich in das Gesicht einmassieren. Etwas einwirken lassen, gut abwaschen und trockentupfen. Möglicherweise entsteht ein leichtes Prickeln auf der Haut, was auf eine gründliche Tiefenreinigung schließen läßt. Falls der Extrakt in die Augen kommt, gründlich mit Wasser ausspülen. Auch ein Grapefruitkern-Hautreiniger ist sehr empfehlenswert. Grapefruitkern-Extrakt hat eine nachhaltige antiseptische Wirkung.

Rasur

Mit einigen Tropfen Grapefruitkern-Extrakt als Zumischung zum Rasierschaum ist bei der Naßrasur auch bei geringsten Verletzungen eine sofortige antiseptische Versorgung der Wunde gewährleistet. Der Extrakt könnte genauso direkt auf die Klinge gegeben werden. In verdünnter Form wäre er zudem ein interessanter After-Shave-Zusatz.

Kopfhaut und Haare

Medizinische Haarwäsche

Zur Haarwäsche geben wir eine Portion Shampoo in die Hand und mischen 5 – 10 Tropfen Grapefruitkern-Extrakt darunter. Ca. 2 Minuten lang ins Haar und die Kopfhaut einmassieren. Danach gut ausspülen. Bei Ekzemen oder undefinierten Hautirritationen auf der Kopfhaut kann der Extrakt auch als „Lotion" angewendet werden. Dazu tränken wir einen Wattebausch mit einer Lösung aus 20 Tropfen Grapefruitkern-Extrakt auf einen Eierbecher Wasser und betupfen die Kopfhaut damit. Falls der Extrakt in die Augen kommt, sofort gründlich mit Wasser ausspülen.

Schuppen

Schuppen beruhen oft auf einer Hautpilzerkrankung der Kopfhaut. Behandlung wie unter „Medizinische Haarwäsche" angegeben. Haarwäsche und/oder „Lotion" zunächst etwa 2- bis 3mal wöchentlich anwenden, später einmal wöchentlich. Nach Abklingen der Schuppenbildung die medizinische Haarwäsche alle zwei Wochen zur Vorbeugung durchführen.

Juckende Kopfhaut

Zunächst sollte, wenn möglich, die Ursache geklärt werden. Probeweise wie unter „Medizinische Haarwäsche" angegeben behandeln und die Reaktion beobachten. Bei Erfolg die Anwendung wiederholen.

Kopfläuse

Kopfläuse breiten sich heute besonders in den Schulen immer mehr aus. Wir hatten mit einer Mischung aus 50 % Grapefruitkern-Extrakt und 50 % Shampoo durchschlagenden Erfolg. (Wer will kann mit einer geringeren Dosis experimentieren.) Extrakt und Shampoo zuvor gut vermischen und sorgfältig über Kopfhaut und Haare verteilen. Eine Plastikhaube oder -tüte darüberziehen, andrücken und 20 - 30 Minuten einwirken lassen. Den Vorgang nach 3 und eventuell noch einmal nach 6 Tagen wiederholen. *Achtung: Extrakt nicht in die Augen laufen lassen!*

Haut

Als Notfallmedizin

Grapefruitkern-Extrakt hat sich als eine ideale Notfallmedizin bei kleineren Verletzungen, Verbrennungen und Unpäßlichkeiten erwiesen. Ob bei kleinen Unfällen auf Reisen, beim Sport, im Beruf oder im Haushalt – überall kann der Extrakt mit seiner hilfreichen, antiseptischen Wirkung eingesetzt werden. Grapefruitkern-Extrakt sollte in keinem Rucksack, in keiner Erste-Hilfe-Box oder Sanitätertasche und in keiner Haus- oder Betriebsapotheke fehlen.

Kleinere Schnittwunden, Hautabschürfungen und Kratzwunden

Alle kleineren Verletzungen und Verbrennungen können mit Grapefruitkern-Extrakt antiseptisch versorgt werden. Am besten ist dazu das im Handel befindliche Grapefruitkern-Hautspray geeignet, das manchmal auch als „Erste-Hilfe-Spray" bezeichnet wird. Ist es nicht zur Hand, einige Tropfen Extrakt mit etwas Wasser verdünnen und vorsichtig auf die Wunde geben.

Kleinere Verbrennungen

Mit Grapefruitkern-Extrakt-Salbe oder -Hautspray abdecken. Nie den puren Extrakt aufbringen.

Hautausschläge

Bei unspezifischen Hautausschlägen sollte zunächst versucht werden, die Ursache zu klären. Doch auch wenn dies nicht möglich ist, bietet Grapefruitkern-Extrakt eine gute Besserungschance. 10 Tropfen des Extrakts mit Öl vermischen und auf die Haut auftragen. Fertige Salben sowie das angebotene Hautspray können ebenfalls eingesetzt werden. 2- bis 3mal täglich anwenden und die Wirkung beobachten. Zeigt sich eine Besserung, die Behandlung fortsetzen, bis die Symptome abgeklungen sind.

Dermatitis

Beim Waschen grundsätzlich keine Seife verwenden. Nach dem Waschen die betroffenen Hautpartien mit einer Mischung aus 10 Tropfen Extrakt auf einen Eierbecher Öl einreiben. Ebenso kann eine möglichst feuchtigkeitshaltige Grapefruit-kern-Extrakt-Salbe angewendet werden.

Schuppenflechte (Psoriasis)

10 Tropfen Grapefruitkern-Extrakt auf einen Eierbecher Öl geben und 2mal täglich auf die betroffenen Hautpartien auftragen. Reaktion beobachten, im Besserungsfall weiterhin anwenden.

Gürtelrose

Anwendung wie unter „Schuppenflechte" beschrieben.

Ekzeme

Bei trocknen Ekzemen 10 Tropfen Grapefruitkern-Extrakt mit einem Eierbecher Öl vermischen und auftragen. Lotionen oder Salben mit Grapefruitkern-Extrakt können ebensogut verwendet werden. Sind die befallenen Flächen sehr klein, kann auch schon mal ein Tropfen Extrakt direkt aufgetragen werden. Bei nässenden Ekzemen sollte Grapefruitkern-Extrakt-Puder benutzt werden. (Bisher nur als Fußpuder im Handel). Der Extrakt hat sich bei Ekzemen außerordentlich gut bewährt.

Nesselfieber

Auch bei Nesselfieber wurden gute Erfahrungen mit Grapefruitkern-Extrakt gemacht. Die übliche Mischung, 10 Tropfen Extrakt auf einen Eierbecher Öl, auf die juckenden Hautpartien auftragen. Haut-Spray kann ebensogut eingesetzt werden.

Zecken- und Blutegelbisse

Grapefruitkern-Extrakt direkt auf die Zecke bzw. den Blutegel aufträufeln, dann entfernen und noch einen Tropfen Extrakt auf die Bißstelle geben.

Insektenstiche

Grapefruitkern-Extrakt unverdünnt auftragen, bei empfindlicher Haut mit etwas Wasser oder Öl vermischen.

Sandflohbisse

Anwendung wie unter „Insektenstiche" angegeben.

Beingeschwüre/Offene Beine

Eine möglichst saubere Kompresse oder Wundauflage mit einer Mischung aus 30 Tropfen Grapefruitkern-Extrakt und einem Eierbecher abgekochtes Wasser tränken und auf den betroffenen Bereich auflegen. Öfter erneuern.

Warzen

Die Beseitigung von Warzen mag etwas Geduld erfordern, doch hat sich Grapefruitkern-Extrakt in vielen Fällen als sehr wirksam erwiesen. Regelmäßig 2mal täglich einige Tropfen des Extrakts auf die Warze geben.

Hautpilze

Pilzerkrankungen der Haut können sehr langwierig sein, doch hat sich Grapefruitkern-Extrakt dank seiner hervorragenden fungiziden Wirkung bei den verschiedenen Hautpilzerkrankungen sehr gut bewährt. Wir hörten von verschiedenen Personen, daß sie den Extrakt pur auf den befallenen Stellen verrieben haben, jedoch kann er auch mit etwas Glycerin vermischt werden. Möglichst regelmäßig 2mal täglich anwenden. Die Behandlung sollte auch nach dem Verschwinden der Symptome noch für einige Zeit fortgesetzt werden, da Hautpilze dann häufig noch nicht völlig abgestorben sind und erneut wachsen können. Viel Luft und Sonne an die Haut lassen.

Füße

Fußpilz

Aufgrund der besonderen Voraussetzungen am Fuß, wie relativ gleichmäßige Feuchtigkeit, Dunkelheit und Wärme, entwickeln sich Pilze hier besonders gut. Fußpilze können überaus hartnäckig sein, doch beweisen viele Fälle, daß selbst die resistenten Fußpilze durch die hochfungizide Wirkung des Grapefruitkern-Extrakts auf Dauer beseitigt werden können. Falls die angegriffenen Regionen nicht zu empfindlich sind, wird der Extrakt häufig pur aufgetragen. Ansonsten kann er mit Glycerin verdünnt werden. Bei nässenden Erscheinungen sollte Grapefruitkern-Extrakt-Fußpuder eingesetzt werden, der sich auch zur Vorbeugung gegen Fußpilz bewährt hat. Ferner sollten beim Waschen der Strümpfe ca. 20 Tropfen Grapefruitkern-Extrakt ins letzte Spülwasser gegeben werden, um eine Neuinfektion zu vermeiden. Schuhe können mit Spray behandelt werden. Füße nach dem Baden oder Duschen immer gut abtrocknen. Sonnenbestrahlung ist ebenfalls günstig gegen Pilze.

Schweißfüße

Auch Schweißfüße werden durch Pilze hervorgerufen. Fußpuder oder Fußbäder mit Grapefruitkern-Extrakt haben sich hier bewährt. Dazu ca. 50 Tropfen auf eine Schüssel Wasser geben. Danach die Füße sehr gut abtrocknen. Zur Vorbeugung gegen Neuinfektion gelten die gleichen Maßnahmen wie unter „Fußpilz" beschrieben.

Hornhaut

Ein 5- bis 10minütiges, warmes Fußbad mit 30 Tropfen Grapefruitkern-Extrakt erleichtert sehr die Entfernung von Hornhaut und bewirkten gleichzeitig eine gute Desinfektion der Füße

Hühneraugen

1- bis 2mal täglich einen Tropfen Grapefruitkern-Extrakt unverdünnt auf das Hühnerauge geben.

Dorn-/Stechwarzen

Die verhornten Anteile 1mal wöchentlich (wegen möglicher Übertragung über einer ausgebreiteten Zeitung) mittels einer groben Feile oder Sandpapier abschleifen oder mit einem scharfen Messer (Skalpell) vorsichtig abschneiden oder abkratzen. Danach 2mal täglich einen Tropfen Grapefruitkern-Extrakt auftragen. Der Grapefruitkern-Extrakt sollte möglichst auch nach Symptomfreiheit noch einige Wochen lang aufgetragen werden. Gewöhnlich ist die Beseitigung dieser Warzen eine sehr langwierige Sache. Die regelmäßige Verwendung von Grapefruitkern-Extrakt als Fußpuder, Zusatz zur Seife oder zum Fußbad zeigt hier eine gute vorbeugende Wirkung.

Blasen

Zur Desinfektion 1 – 2 Tropfen Grapefruitkern-Extrakt auf den Blasen verteilen.

Finger- und Fußnägel

Nagelpilz

Nagelpilzerkrankungen sind in der Regel sehr schwer auszu-heilen. Sie entwickeln sich äußerst langsam und breiten sich allmählich auch über die benachbarten Fuß- und Fingernägel aus. Die Betroffenen sind oft der Meinung, es käme kaum zu einer Verschlimmerung. Doch der Schein trügt. In einem Rah-men von Jahren oder gar Jahrzehnten wächst der Pilz tiefer und tiefer bis ins Nagelbett hinein. Zudem ist er auf andere Personen übertragbar. Hier sollte so früh wie möglich, praktisch bei der ersten sichtbaren Nagelveränderung eingegriffen werden.

Grapefruitkern-Extrakt hat sich bei dieser langwierigen Erkrankung sehr gut bewährt. Vor dem Auftragen sollte der angegriffene Nagel soweit wie möglich mittels einer groben Nagelfeile oder Sandpapier über einer ausgebreiteten Zeitung abgeschliffen werden. (Danach die Feile wegen der mögli-chen Übertragungsgefahr mit Extrakt desinfizieren und die Zeitung mit dem Schleifstaub in den Abfall geben.)

Danach den Extrakt 2mal täglich pur auf die befallen Nägel auftragen. Im befallenen Bereich sollten die Nägel an-fänglich alle 3 – 4 Tage, später alle 3 – 4 Wochen erneut abgeschliffen werden. Weiterhin 2mal täglich Grapefruitkern-Extrakt auftragen. Diese Routine sollte dringend über meh-rere Monate eingehalten werden. Der Einsatz lohnt sich, denn nur so ist mit völliger Ausheilung zu rechnen.

Dies gilt übrigens auch für chemische Mittel zur Nagelpilz-bekämpfung. (Wer schon einmal einen Nagelpilz im Endstadium gesehen oder gar gerochen hat, scheut hier keine Mühe mehr.)

Die regelmäßige Verwendung von Grapefruitkern-Extrakt zur Vorbeugung, beispielsweise als Zusatz in flüssiger Seife oder Handpaste wie auch als Fußpuder oder Zusatz zum Fuß-bad ist anzuraten. Sind die Fußnägel befallen, beim Waschen der Strümpfe jeweils ca. 20 Tropfen Grapefruitkern-Extrakt ins letzte Spülwasser geben. Das Innere der Schuhe mit Grapefruitkern-Extrakt-Spray aussprühen. Auf diese Weise kann eine Neuinfektion verhindert werden.

Nagelbett- und Nagelfalzentzündung – Nagelgeschwür – Nagelumlauf (Panaritium/Paronychie)

Diese infektiöse Erkrankung beginnt oft klein und unscheinbar, doch sie kann sich schnell zu einem wochenlangen, extrem schmerzhaften Fiasko entwickeln, wobei häufig nur noch der Chirurg Abhilfe schaffen kann. Es sei denn, wir haben gleich den wirkungsvollen Grapefruitkern-Extrakt zur Hand und massieren 2- bis 3mal täglich einige Tropfen in den betroffenen Nagelfalz ein. Gewöhnlich klingt die Entzündung aufgrund der antibakteriellen Wirkung dieses Extrakts sehr schnell ab. Eine große Hilfe mit wenig Aufwand! Auch ein warmes Fingerbad in Wasser oder Öl mit einigen Tropfen Grapefruitkern-Extrakt kann sehr lindernd wirken.

Scheide und Genitalien

Scheidenentzündung (Vaginitis)

Eine Scheidenentzündung kann durch Bakterien, Pilze oder Parasiten hervorgerufen werden. Die Scheidenregion nicht mehr mit Seife waschen, statt dessen einige Tropfen Grapefruitkern-Extrakt eventuell zusammen mit Teebaumöl ins Waschwasser geben. Mindestens eine Woche lang folgende Scheidenspülung durchführen: 1 – 3 Tropfen Grapefruitkern-Extrakt auf ein 1/4-Liter-Glas warmes Wasser geben und gut verrühren. (Falls gewünscht, könnten hier noch 5 Tropfen Echinacin-Tinktur hinzugefügt werden.) Diese Mixtur in eine handelsübliche Spritze (ohne Nadel) aufziehen, vorsichtig einführen und einspritzen. Zum Einspritzen Rückenlage einnehmen und das Becken erhöht lagern. Statt einer Spritze kann auch eine im Fachhandel angebotene, sogenannte Frauendusche benutzt werden. In den ersten 3 Tagen die Behandlung alle 12 Stunden wiederholen, danach einmal pro Tag.

Eine weitere Möglichkeit besteht darin, einen Tampon mit der zubereiteten Mixtur zu tränken und für 1 – 6 Stunden (je nach Empfindung) einzusetzen. Hierzu kann der Grapefruitkern-Extrakt statt mit Wasser auch mit Sesamöl vermischt werden. Dadurch werden die Schleimhäute gleichzeitig gepflegt und vor Austrocknung bewahrt. Zusätzlich beim Waschen der Unterwäsche dem letzten Spülgang etwa 20 Tropfen Grapefruitkern-Extrakt zugeben, um eine Neuinfektion zu vermeiden.

Zusätzlich könnten Slipeinlagen mit Grapefruit-Hautspray eingesprüht werden. Zum Wiederaufbau der Scheidenflora kann nach der Behandlung eine Mischung aus 50 % naturbelassenem Joghurt und 50 % warmem Wasser eingespritzt werden. Die Heilerfolge sind außerordentlich gut. *Grapefruitkern-Extrakt im Bereich der Scheide nie unverdünnt anwenden!*

Pilzinfektionen der Scheide/Vaginalpilz

Wurde die Scheideninfektion durch einen Pilz (*Candida albicans*) hervorgerufen, sollten die oben beschriebenen Maßnahmen eingesetzt und noch einige Zeit nach Beschwerdefreiheit weitergeführt werden. Darüber hinaus sollte im Falle einer Pilzinfektion auch immer der Sexualpartner verständigt werden, da dieser in aller Regel mitbetroffen ist. (Siehe hierzu unter „Pilzerkrankungen im männlichen Genitalbereich".) In den meisten Fällen einer *Candida*-Infektion der Scheide ist auch der Darm mit diesem Hefepilz infiziert.

Eine gleichzeitige Behandlung des Darms ist daher anzuraten (siehe hierzu im Kapitel „Grapefruitkern-Extrakt zur inneren Anwendung").

Scheidenparasiten

Eine der häufigsten Arten der Scheideninfektion wird durch mikroskopisch kleine Parasiten namens *Trichomonas vaginalis* hervorgerufen. Der Befall macht sich durch einen faulig riechenden Vaginalausfluß, Entzündung und Brennen in der Scheide bemerkbar. Man schätzt, daß ca. 30 % aller Frauen zeitweise von diesem Parasiten befallen werden. Er wird in der Regel durch sexuellen Verkehr weitergegeben und kann beim Mann eine unspezifische Urethritis (Entzündung der Harnröhrenschleimhaut) hervorrufen.

Behandlung wie unter „Scheidenentzündung" beschrieben.

Intimpflege

Grapefruitkern-Extrakt kann auch zur allgemeinen Pflege im Intimbereich eingesetzt werden. Einige Tropfen dem Waschwasser zugeben. Außerdem eignet sich auch ein seifenfreies Grapefruit-Duschgel oder ein Haut-Reiniger. *Den Extrakt im Vaginalbereich nie pur benutzen!*

Pilz- und Parasitenerkrankungen im männlichen Genitalbereich

Pilz- und Parasiteninfektionen können sehr leicht beim Sexualverkehr übertragen werden. Daher sollte auch der männliche Partner auf eine mögliche Infizierung achten. Zur

Behandlung können wenige Tropfen Grapefruitkern-Extrakt auf den nassen Händen verteilt und der Penis damit eingerieben werden. Nicht abspülen. Auch eine Mischung aus 10 Tropfen Extrakt und einem Eierbecher Sesamöl eignet sich hierfür. Einige Minuten einwirken lassen. *Grapefruitkern-Extrakt jedoch nie unverdünnt über den Penis gießen,* da dies zu starken Reizungen führen kann.

Die beschriebene Maßnahme sollte ca. 2 Wochen lang fortgesetzt werden. Die Heilungsaussichten sind sehr gut. Zusätzlich die Unterwäsche über einige Wochen mit jeweils 20 Tropfen Grapefruitkern-Extrakt im letzten Spülgang waschen, um eine Reinfektionen zu verhindern. Zur Vorbeugung können außerdem Grapefruitkern-Extrakt-Seife, -Duschgel oder -Hautreiniger benutzt werden. Bei einer Entzündung der Harnröhrenschleimhaut auch innerlich anwenden.

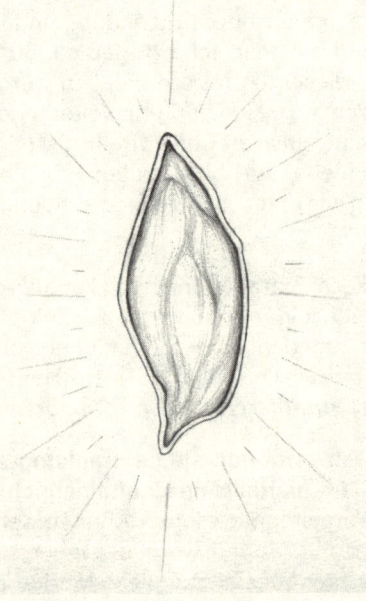

Grapefruitkern-Extrakt zur inneren Anwendung

Es gehört heute zum allgemeinen Wissensgut, daß Bakterien und Viren eine große Anzahl von inneren Erkrankungen hervorrufen bzw. an ihrem Entstehen beteiligt sind. In welch enormem Ausmaß dies auch für Pilze und Parasiten gilt, wird erst allmählich erkannt. Die Symptome, die durch eine Infektion mit Pilzen oder Parasiten entstehen, sind denen einer bakteriellen oder viralen Infektion häufig zum Verwechseln ähnlich. Daraus resultieren immer wieder Fehldiagnosen mit der Folge einer ineffektiven Behandlung. Unseres Wissens ist Grapefruitkern-Extrakt das erste Mittel, das die verschiedenen Arten von Mikroorganismen gleichzeitig abdeckt. Die Liste der Laboranalysen im Anhang dieses Buches weist auf die überaus große Bandbreite von Krankheitserregern hin, bei denen dieser Naturextrakt seine Wirksamkeit entfaltet.

Das Wissen um die heilsamen Wirkungen des Grapefruitkern-Extrakts hat in einer zunehmenden Anzahl naturheilkundlich arbeitender Praxen seinen Einzug gehalten. Hierdurch steht uns inzwischen ein großer Erfahrungsschatz zur Verfügung, vor allem im Bereich der äußeren Anwendungen sowie der Magen-Darm- und der Erkältungskrankheiten. Es scheint, daß sich die Anwendung vor allem in diesen Bereichen etabliert hat. Doch weisen die Berichte verschiedener Ärzte und Heilkundiger sowie die Erfahrungen bei Tieren auf eine deutliche Wirkung des Grapefruitkern-Extrakts im gesamten Körper auch jenseits dieser Bereiche hin. Dennoch ist seine Wirkung bei vielen Krankheiten, deren Erreger bei den Labortests vernichtet wurden, am lebenden Organismus noch nicht oder wenig erforscht.

Bei der folgenden Aufstellung über die innere Anwendung des Grapefruitkern-Extrakts haben wir uns weitgehend auf jene Erkrankungen beschränkt, bei denen ein genügend großer Erfahrungsschatz vorliegt. Wir hoffen, mit diesem

Buch zu weiterer Forschung anzuregen und bald von neuen Ergebnissen berichten zu können. Es ist unsere Überzeugung, daß Grapefruitkern-Extrakt schon in naher Zukunft zu einer gesunden und nebenwirkungsfreien Alternative für Antibiotika und synthetische Präparate werden kann.

Grapefruitkern-Extrakt läßt sich sehr gut mit anderen natürlichen Heilmitteln kombinieren. Er besitzt einen wunderbaren „Teamgeist", und vieles deutet darauf hin, daß er die Wirkung anderer Heilkräuter noch steigert. Homöopathen schätzen ihn außerdem wegen seiner Eigenschaft, die Wirkung der homöopathischen Mittel nicht zu stören.

Über seine überaus hilfreiche Wirkung hinaus möchten wir Grapefruitkern-Extrakt jedoch gern als Teil innerhalb eines umfassenden Gesundheitsprogramms verstanden wissen. Er sollte nicht zu einem schnellen Ersatz oder einem Notpflaster für eine eventuell anstehende Änderung unserer Ernährungs- und Lebensgewohnheiten werden. Auch sollten wir nicht versuchen, mit seiner Hilfe jenen Lernschritt zu umgehen, zu dem uns eine Erkrankung führen will. Spätestens wenn Entzündungen auch nach der wiederholten Einnahme von Grapefruitkern-Extrakt an gleicher oder anderer Stelle wieder auftauchen, sollten wir eine notwendige Umstellung ins Auge fassen.

Entzündungserregende Mikroorganismen siedeln sich bevorzugt in jenen Bereichen des Körpers an, wo sie auf geschwächtes Gewebe treffen. Eine solche Schwächung wird häufig durch Toxine hervorgerufen, die sich im Körper festgesetzt haben. Umweltgifte, Zusätze oder Rückstände in Nahrungsmitteln wie auch Amalgamfüllungen in den Zähnen sind die häufigste Quelle von Giften, die von außen in unseren Körper gelangen. Dazu gesellt sich die Vergiftung von innen durch Fäulnis- und Verwesungsprozesse aufgrund einseitiger Ernährung und mangelhafter Verdauung wie auch durch Stoffwechselschlacken und die von Mikroorganismen erzeugten Toxine.

Doch können sich diese Gifte kaum im Körper festsetzen, solange das Leben in uns „in Fluß" bleibt. Erst wenn der Energiefluß in einem Bereich unseres Körpers stockt, wird der Boden für die Ansiedlung von Toxinen und Krankheitserregern bereitet. Die Umkehrung dieses Prozesses benutzt z. B. die Akupunktur. Sie bringt den Energiefluß in dem betroffen Körperbereich wieder in Gang und kann häufig allein durch diese Maßnahme Krankheitssymptome beseitigen.

Blockaden im Fluß der Lebensenergie entstehen wiederum durch Streß, Verkrampfungen, Ängste, negative Erwartungen und ähnliches. Hier kommt der geistig-seelische Hintergrund von Erkrankungen mit ins Spiel, der dem späteren körperlichen Ausdruck die Bühne bereitet. Jeder Körperbereich symbolisiert zudem eine bestimmte geistig-seelische Fähigkeit. So zeigt sich beispielsweise im Herzen die Fähigkeit, zu fühlen sowie Liebe zu geben und zu empfangen, unsere Beine stehen für die Fähigkeit, im Leben voranzuschreiten, unsere Verdauung zeigt uns, wie gut wir Erfahrungen verarbeiten können und unser Immunsystem symbolisiert unsere Fähigkeit, authentisch zu bleiben und schädliche Fremdeinflüsse abzuwehren. Mit Hilfe dieser Symbolsprache unseres Körpers weist uns eine Erkrankung oder Funktionsschwäche in einem bestimmten Körperbereich darauf hin, welche Fähigkeit blokkiert wurde oder verlorenging.

Wollen wir also Krankheit grundlegend und dauerhaft beseitigen, sollten wir auf den verschiedenen Ebenen ansetzen. Maßnahmen auf der geistig-seelischen Ebene wie beispielsweise Entspannung, das Loslassen von Ängsten und das Akzeptieren unserer tieferen Bedürfnisse sollten mit der Reinigung und Entschlackung von toxischen Substanzen und dem Vermeiden von neuer Vergiftung sowie der Befreiung von schädigenden Mikroorganismen einhergehen.

Innerhalb eines solchen ganzheitlichen Heilungsprogramms kann Grapefruitkern-Extrakt den Heilungsprozeß auf der körperlichen Ebene auf wunderbare Weise unterstützen.

Hinweise zur inneren Anwendung: Wir nehmen in der Regel 3 – 15 Tropfen des Extrakts 2- bis 3mal täglich in einem vollen Glas Wasser oder eine entsprechende Anzahl von Kapseln oder Tabletten bis zum Abklingen der Symptome ein. (Die Packungen enthalten meist eine Angabe, wie vielen Tropfen einer Kapsel oder Tablette entsprechen). Die Tropfen sind in Glycerin gelöst und sollten gründlich mit dem Wasser verrührt werden. Wem der Geschmack zu bitter ist, kann den Extrakt auch mit einem Glas Fruchtsaft einnehmen. Dem in den Kapseln befindlichen Pulver sind teilweise die Bitterstoffe entzogen. Dies macht es besonders geeignet für Kinder. Die Kapseln können geöffnet und der Inhalt in einem Glas Wasser verrührt werden. Auf diese Weise ist eine genauere Dosierung möglich. Doch ist das Pulver etwas weniger wirksam als die Tropfen. Möglicherweise hängt das mit der Eigenschaft von Bitterstoffen zusammen, die Magensaft- und Enzymproduktion anzuregen.

Es ist ratsam, mit einer geringen Dosis zu beginnen und sie langsam zu steigern. Dies hat mehrere Gründe. Der wichtigste Grund ist die sogenannte „Absterbe"-Reaktion. Wenn Bakterien, Pilze oder andere Krankheitserreger absterben, werden Toxine frei, die ein leichtes Unwohlsein oder Müdigkeit hervorrufen können.

Eine deutliche Reaktion dieser Art tritt unserer Erfahrung nach jedoch meist nur bei der ersten Behandlung mit Grapefruitkern-Extrakt auf oder wenn größere Zwischenräume zwischen den Behandlungen liegen. Offenbar werden hier zusammen mit den Erregern der akuten Erkrankung noch eine große Anzahl anderer pathogener Mikroorganismen beseitigt, die sich unbemerkt in unserem Körper festgesetzt haben und mit der ersten Behandlung weitgehend beseitigt werden.

Normalerweise wird empfohlen, beim Auftreten einer solchen Reaktion die Dosis zu verringern oder niedrig zu halten und sehr langsam zu steigern. Wir haben sehr gute Erfahrungen mit der zusätzlichen Einnahme von Psyllium-Hülsen gemacht. Diese Hülsen stammen vom „Indischen Flohsamen", einer getreideartigen Rispenpflanze *(Plantago ovata und isphagula)* und haben die Eigenschaft, die

50

mehrhundertfache Menge ihres Eigengewichts an Flüssigkeit aufzusaugen. Sie reinigen das Verdauungssystem, indem sie zusammen mit der im Darm befindlichen Flüssigkeit Gift- und Schlackenstoffe aufnehmen und der Ausscheidung zuführen.

Psyllium-Hülsen werden in Apotheken oder Drogerien lose in Tüten verpackt oder als Pulver in Kapseln angeboten. Auch einige Fertigpräparate sind auf dem Markt. Im Rahmen einer Behandlung mit Grapefruitkern-Extrakt können 2- bis 3mal täglich 10 – 15 Gramm der Hülsen (= 3 Teelöffel) in einem Glas Wasser verrührt genommen werden. Wegen des schnellen Aufquelleffekts sollte die Mischung schnell getrunken und mit möglichst viel Wasser nachgespült werden. Fertigpräparate werden nach Angaben der Hersteller genommen. (Nicht einnehmen bei Darmverschluß, bei schwer einstellbarer Diabetes oder krankhafter Verengung der Speiseröhre oder des Magen-Darmtraktes.) Darüber hinaus ist es sehr **wichtig**, große Mengen an kohlensäurefreiem Wasser zu trinken, um die Entgiftung über die Nieren zu unterstützen. Chlorhaltiges Wasser aus dem Wasserhahn sollte zuvor durch 30minütiges Kochen ohne Deckel „entchlort" werden.

Wie bereits erwähnt, reagieren 3 – 5 % der Menschen allergisch auf Zitrusfrüchte und könnten somit auch eine größere Sensibilität gegenüber Grapefruitkern-Extrakt aufweisen. Wer unter einer Allergie gegen Zitrusfrüchte leidet, sollte mit einer Dosis von 1 Tropfen Extrakt in einem Glas Wasser beginnen und je nach Verträglichkeit langsam steigern. Auch kann die Einnahme des weniger säurehaltigen Grapefruitkern-Extrakt-Pulvers versucht werden.

Zudem haben wir festgestellt, daß Personen mit einem empfindlichen Magen manchmal mit einem leichten Gefühl der Abwehr reagieren. Dies läßt sich umgehen, indem wir den Extrakt *nach* dem Essen einnehmen oder vorher eine Kleinigkeit zu uns nehmen. Meist gewöhnt sich der Magen jedoch sehr schnell an das neue Mittel, und wir können es dann unabhängig von den Mahlzeiten einnehmen. Doch ist es auch in diesem Fall klug, mit einer Dosis von wenigen Tropfen zu beginnen und sie langsam zu steigern.

Bei wiederholter Einnahme von Grapefruitkern-Extrakt kann meist mit einer Dosis von 6 bis 8 Tropfen angefangen werden. Alle Dosierungsangaben sind jedoch allgemeine Richtlinien, die im Einzelfall abweichen können. Die Angaben auf den Packungsbeilagen sollten immer beachtet werden.

Experten schätzen, daß bei über 90 % der Menschen in unserer modernen Zivilisation die natürliche Darmflora nicht mehr intakt ist. So ist es zu empfehlen, ihren Wiederaufbau zu unterstützen, insbesondere wenn Darmbeschwerden vorliegen oder bei längerer Einnahme von Grapefruitkern-Extrakt. Ein Glas mit einer Mischung aus einem Drittel naturbelassenem Joghurt und zwei Dritteln warmem Wasser regelmäßig oder zu oder zwischen den Mahlzeiten getrunken kann hier Wunder wirken. Auch werden entsprechende Bakterienkulturen in Kapseln angeboten.

Wir möchten an dieser Stelle auch noch einmal erwähnen, daß bei ernsthaften oder dauerhaften Erkrankungen ein Arzt oder Heilpraktiker konsultiert werden sollte. Bleibt zu hoffen, daß Grapefruitkern-Extrakt in immer mehr Praxen Einzug halten und – wo angebracht – als Mittel der Wahl bei ernsten oder chronischen Erkrankungen zur Verfügung stehen wird, so daß eine wachsende Anzahl von Krankheiten unter fachkundiger Anleitung auf natürliche Weise geheilt werden kann.

Entzündungen allgemein

Die meisten Erkrankungen werden von einem entzündlichen Prozeß begleitet. Entzündungen sind eine Reaktion unseres Immunsystems auf Einflüsse, die Zellen und Gewebe schädigen oder zerstören und somit die normale Funktion unseres Körpers behindern. Zu diesen Einflüssen zählen die verschiedenen Arten von Mikroorganismen wie Bakterien und Viren, Pilze und Parasiten. Eine weitere Kategorie sind Toxine, die entweder von außen in den Körper gelangen oder durch die im Körper befindlichen Mikroorganismen erzeugt werden. Auch körpereigene Vorgänge wie Stoffwechsel oder Gärung und Verwesung von Nahrung können Giftstoffe erzeugen und den Körper auf ähnliche Weise belasten. Eine weitere Hauptgruppe bilden Nährstoffe, die ungenügend aufgeschlossen vom Körper als schädlich angesehen und entsprechend behandelt werden (siehe hierzu unter „Allergien".) Bei schwacher Immunabwehr können auch verschiedene Mikroorganismen, die normalerweise harmlos im Körper leben, pathogen werden und zu einer Erkrankung führen.

In der Regel werden die verschiedenen Eindringlinge durch unser Immunsystem abgewehrt bzw. unschädlich gemacht. Toxine werden durch sogenannte Antitoxine neutralisiert oder durch die Leber entgiftet. Ist die Abwehr erfolgreich, klingt die **Entzündung**, die durch die Mikroorganismen oder Toxine hervorgerufen wurde, wieder ab.

Nun scheint es jedoch, daß bei den Menschen unserer Zeit die natürliche Immunabwehr ihre Arbeit immer häufiger unvollständig vollbringt. Die Überlastung durch Umweltgifte, der zunehmende Streß unserer modernen Lebensweise, einseitige Ernährung sowie Antibiotika scheinen unser Immunsystem zu überbeanspruchen bzw. zu schwächen. Bei mangelnder Immunabwehr und zusätzlicher Überlastung der Leber durch Toxine lagern sich die verschiedenen Gifte in Organen und Geweben ab, und viele Krankheitskeime machen es sich auf Dauer in unserem Körper heimisch und rufen **chronische Entzündungen** hervor.

So stehen wir heute vor der Situation, daß zwar die großen Seuchen, die unsere Vorfahren heimgesucht haben, dank moderner Errungenschaften weitgehend ausgerottet sind, wir jedoch um so häufiger von den chronischen Erkrankungen geplagt werden. Viele Menschen sind zwar nicht mehr so häufig schwerkrank, aber dafür auch nie richtig gesund. Gleichzeitig werden Krankheiten, die mit einer Schwächung des Immunsystems in Zusammenhang gebracht werden, wie beispielsweise **Krebs, AIDS** oder **Allergien,** allmählich zu modernen „Plagen".

Mit den Wirkstoffen im Kern der Grapefruit schenkt uns die Natur ein Mittel zur Hilfe in der Not, das unser Immunsystem enorm entlasten kann. Wie bereits erwähnt, hat Grapefruitkern-Extrakt bei Labortests an ca. 800 Bakterien- und ca. 100 Pilzstämmen seine Wirksamkeit bewiesen. Zudem wurden sehr gute Erfahrungen bei der Beseitigung von Parasiten gemacht. Wenn auch die Wirksamkeit des Extrakts bei etlichen Erkrankungen, deren Erreger bei den Labortests vernichtet wurden, am lebenden Organismus noch nicht ausreichend erforscht wurde, so kann allein durch die allgemeine Entlastung des Immunsystems in vielen Fällen eine Besserung bei **akuten** wie auch **chronischen Entzündungen** erreicht werden.

Hinzu kommt, daß durch das große Wirkungsspektrum von Grapefruitkern-Extrakt auch Mikroorganismen wie Parasiten oder Pilze vernichtet werden, die sehr häufig als Ursache einer Erkrankung übersehen und daher nicht behandelt werden.

Wie zuvor erwähnt, können Entzündungen auch durch Toxine hervorgerufen werden. Grapefruitkern-Extrakt kann uns zwar nicht direkt von diesen Giftstoffen befreien. Doch kann er helfen, die toxische Last zu verringern, indem er auch jene Mikroorganismen abtötet, die Toxine in den Körper abgeben. So können sich Leber und Immunsystem auf die übrigen Gifte konzentrieren und diese effektiver entsorgen.

Die „Giftproduzenten" unter den Mikroorganismen sitzen besonders häufig im Darm, und hier steht uns ein großer Erfahrungsschatz von vielen überaus erfolgreichen Anwendungen zur Verfügung. Die Beseitigung der schädlichen Erreger im Darmbereich ist Voraussetzung dafür, die natürliche Ökologie des Darms wieder herzustellen. Bei einer gesunden Darmflora können sich Bakterien, Pilze und Parasiten sehr viel schwerer festsetzen bzw. ausbreiten und zur Wirkung gelangen.

So denken wir, daß sich Grapefruitkern-Extrakt bei jeder Art von Entzündung zumindest unterstützend einsetzen läßt und auch die Heilung von chronischen Entzündungen, die auf eine Schwächung des Immunsystems hinweisen, wirkungsvoll unterstützen kann.

Dosierung: 2- bis 3mal täglich 3 – 15 Tropfen gemäß den Angaben unter „Grapefruitkern-Extrakt zur inneren Anwendung".

Erkältungskrankheiten

Zu den sogenannten Erkältungskrankheiten zählen **grippale Infekte** sowie die **echte Grippe** oder **Influenza**. Beide Arten werden durch *Viren* hervorgerufen. **Grippale Infekte** sind **akute Erkrankungen des Atemtraktes**, meist von **Fieber** begleitet. Sie äußern sich in **Schnupfen, Heiserkeit, Husten, Halsschmerzen, Kopf-** und **Gliederschmerzen** sowie in **Abgeschlagenheit. Schwindel, Herzjagen, Bronchitis** oder **Durchfall** können hinzukommen.

Die **echte Grippe** verläuft meist ähnlich, jedoch schwerer als die **grippalen Infekte**. Sie wird durch die *Influenza-Viren der Typen A, B und C* verursacht. Charakteristisch sind beinahe weltweite Epidemien (Pandemien), die ausschließlich vom *Typ A* ausgelöst werden und in unregelmäßigen Abständen auftreten. Dazwischen kommen Epidemien in Abständen von ca. zwei bis drei Jahren in einzelnen Ländern vor. Für diese Epidemien sind *Abwandlungen des jeweiligen A-Virus* der letzten Pandemie verantwortlich.

Bei einem Labortest mit dem *Influenza-A2-Virus* konnte die Wirksamkeit von Grapefruitkern-Extrakt selbst bei dieser äußerst virulenten (aggressiven) Form von Krankheitserregern nachgewiesen werden. Viele Menschen berichten zudem von einer schnellen Linderung oder Ausheilung ihrer **„Erkältung"** bei der praktischen Anwendung von Grapefruitkern-Extrakt.

Neben den verschiedenen *äußeren* Anwendungen (siehe dazu Kapitel „Grapefruitkern-Extrakt zur äußeren Anwendung") wird hierbei die innere Einnahme von Grapefruitkern-Extrakt empfohlen. Sehr gut eignet sich eine Kombination von Echinacea und Grapefruitkern-Extrakt.

Dosierung: 2- bis 3mal täglich 3 – 15 Tropfen wie unter „Grapefruitkern-Extrakt zur inneren Anwendung" beschrieben.

Magen-Darm-Infektionen

Verschiedene Krankheitserreger, die meist über verunreinigte Nahrung oder Trinkwasser in unseren Körper gelangen, können eine **Infektion des Magen-Darm-Trakts** hervorrufen. Sie äußerst sich in **Durchfällen**, häufig auch **Bauchschmerzen**, **Übelkeit** und **Erbrechen**. Zu den häufigsten Erregern gehören *Kolibakterien (Escherichia Coli)*, das Gift von *Staphylokokken* sowie *Salmonellen*. Vor allem in der kalten Jahreszeit kann es auch zu **Virus-Infektionen des Magen-Darm-Trakts** kommen. Seltener und fast nur noch in südlichen Breiten treten die schweren Infektionskrankheiten wie **Bakterienruhr** (hervorgerufen durch *Shigella flexneri, sonnei und dysenteriae)*, **Amöbenruhr** (hervorgerufen durch *Entamoeba histolytica)*, **Cholera** (hervorgerufen durch *Vibrio cholerae*, im Wasser lebende Stäbchenbakterien) sowie **Typhus** und **Paratyphus** auf (hervorgerufen durch *Salmonella typhi* und *paratyphi)*.

Grapefruitkern-Extrakt scheint eine hervorragende Wirkung im Magen-Darm-Trakt zu entfalten. Die mit dem Extrakt arbeitenden Ärzte verzeichneten sehr gute Erfolge bei den verschiedensten **Magen-Darm-Infektionen**. Viele Anwender berichten, daß der Extrakt, wenn er bei den ersten Anzeichen einer **Magen-Darm-Infektion** genommen wurde, den Ausbruch der Krankheit oft verhindern konnte.

Gemäß den Erfahrungen verschiedener Experten sind eine große Anzahl von Menschen, bei denen eine **Colitis** oder die **Crohn-Krankheit** (Morbus Crohn) diagnostiziert wurde, deren Ursache gemeinhin als unbekannt gilt, mit *Shigellen, Salmonellen, Amöben, Pilzen, Giardia lamblia* oder anderen Parasiten infiziert. Sehr häufig findet sich auch eine Mischung dieser verschiedenen Krankheitserreger. Mit der Beseitigung der Erreger verschwanden in der Regel auch die Symptome.

Verschiedentlich hörten wir auch von Heilerfolgen bei den oben erwähnten schweren Infektionen. Dr. Louis Parish, Arzt und Untersuchungsbeauftragter des amerikanischen Gesundheitsministeriums und der FDA (Food und Drug Administration), hat im Rahmen eines Versuchsprogramms etwa 200 Patienten mit **Darmproblemen**, darunter auch an **Ruhr** erkrankte Menschen, erfolgreich mit Grapefruitkern-Extrakt behandelt. Nach seinen Worten brachte Grapefruitkern-Extrakt eine größere Befreiung von Symptomen als jede andere Behandlung.

In den Labortests bewies der Extrakt bei allen Erregern der schweren Infektionskrankheiten seine hohe Wirksamkeit (siehe Liste der Laboranalysen im Anhang). Weitergehende Forschungen über die praktische Anwendbarkeit von Grapefruitkern-Extrakt dürften hier sehr lohnenswert sein. Vor allem die Bewohner südlicher Länder, in denen diese Krankheiten noch verbreitet sind, könnten von einem natürlichen, heimischen und preiswerten Heilmittel enorm profitieren.

In warmen Ländern wie Afrika und Indien kommt es bisweilen zu großen Choleraepidemien mit vielen Todesfällen. Im europäischen Raum trat in Italien 1973 die letzte große Cholera-Epidemie auf. Der Einsatz von Grapefruitkern-Extrakt zur Behandlung von Erkrankten sowie zur Desinfizierung von verseuchtem Trinkwasser könnte im Falle einer Choleraepidemie dazu beitragen, viele Menschenleben zu retten.

Reisenden in südliche Länder empfehlen wir, täglich einige Tropfen des Extrakts vorbeugend zu nehmen. Siehe hierzu auch das Kapitel „Die kleinste Reiseapotheke der Welt".

Dosierung: Im Falle einer Erkrankung 2- bis 3mal täglich 3 – 15 Tropfen gemäß den Angaben im Kapitel „Grapefruitkern-Extrakt zur inneren Anwendung" einnehmen. Bei Verdacht auf eine der schweren Infektionen nach Angaben eines Arztes oder Heilpraktikers.

Gastritis, Magen- und Zwölffingerdarm-Geschwüre

1979 entdeckte der amerikanische Pathologe Robert Warren ein Bakterium, *Helicobacter pylori*, das sich in der Magenwand einnistet und die Zellen schädigt. Normalerweise werden Bakterien von der Magensäure vernichtet. *Helicobacter* besitzt jedoch eine alkalische Hülle, die es vor dem Angriff der Magensäure schützt. Hat dieses Bakterium sich in der Magenschleimhaut festgesetzt, reduziert es die Produktion von schützendem Schleim, wodurch Magen und oberer Verdauungstrakt den säurehaltigen Verdauungssäften ausgesetzt werden. Auf diese Weise fördert es die Entstehung von **Gastritis (Magenschleimhautentzündung), Entzündungen** und **Geschwüren.**

Als im Jahre 1984 ein junger australischer Arzt, Barry Marshall, zusammen mit Robert Warren ein Forschungsprojekt über *Helicobacter* durchführte, stellten sie fest, daß die große Mehrheit der Patienten mit entzündeter oder geschwüriger Magenwand mit besagtem Bakterium infiziert war. Heute weiß man, daß sich das Risiko, **Zwölffingerdarm-Geschwüre** zu entwickeln, um das 5fache erhöht, wenn *Helicobacter* gegenwärtig ist. Mindestens 95 % der Patienten mit **Zwölffingerdarm-Geschwüren** beherbergen *Helicobacter.* **Verdauungsbeschwerden, Sodbrennen, Dyspepsie*** und viele andere Symptome von Magen-Darm-Erkrankungen verbessern sich mit der Beseitigung dieses Bakteriums.

Forscher der „Stanford University" (USA) berichteten im „Journal of the National Cancer Institut", daß beinahe alle an dem häufigsten Typ von **Magenkrebs** erkrankten Patienten mit *Helicobacter* infiziert sind.

Neben den erwähnten Erkrankungen kann die Infizierung mit *Helicobacter* zu einer Reihe von Folgeerscheinungen

---

* Leichte Verlaufsform einer akuten Ernährungsstörung im Säuglingsalter.

führen. Durch die Störung des Gleichgewichts von Säuren und Enzymen und die Beeinträchtigung der Verdauung nehmen **Toxizität** sowie **Lebensmittelintoleranz** zu. Die Darmflora leidet, und **Entzündungen und Infektionen im Darm sowie im gesamten Körper** wie auch **Allergien** werden begünstigt. Gemäß Dr. Mendall von der „British Heart Foundation" können selbst **Herzkranzgefäß-Erkrankungen** die Folge einer Infizierung mit *Helicobacter* sein. Die Wahrscheinlichkeit, **Krebs** zu entwickeln, ist durch *Helicobacter* um das 6fache erhöht, wie die bereits erwähnten Forscher der „Stanford University" berichten. In einigen Fällen konnte der langsam wachsende Krebs „MALT-lymphoma" durch die Beseitigung von *Helicobacter* geheilt werden. Für die meisten Krebspatienten reicht jedoch das Abtöten des Bakteriums allein nicht aus, da schon zu viel Schaden entstanden ist. Doch wird in medizinischen Kreisen diskutiert, inwieweit **Krebs** durch die Beseitigung von *Helicobacter* verhindert werden kann.

Eine große Anzahl von Menschen sind unwissentlich mit *Helicobacter* infiziert. Gemäß einer Studie in England sind es nicht weniger als 20 % der Zwanzigjährigen, 40 % der Vierzigjährigen und 60 % der Sechzigjährigen. Die häufig mit dem Alterungsprozeß einhergehende Abnahme der Magensäureproduktion und zunehmende Schwächung des Immunsystems scheint die Infizierung mit *Helicobacter* zu begünstigen.

Grapefruitkern-Extrakt kommt uns auch bei diesem unerwünschten Bakterium zur Hilfe. Bei Labortests tötete Grapefruitkern-Extrakt das Bakterium *Helicobacter* bei einer Konzentration von 1 : 1 000 ab.

Dosierung: 2- bis 3mal täglich 3 – 15 Tropfen gemäß den Angaben unter „Grapefruitkern-Extrakt zur inneren Anwendung". Als Erhaltungsdosis empfiehlt sich eine regelmäßige Einnahme von 10 – 15 Tropfen 2- bis 3mal täglich in einem Glas Wasser eine halbe Stunden vor dem Essen auf nüchternen Magen bis zum Abklingen der Symptome.

Candida albicans
und andere Pilzerkrankungen

„Pilze sind als Ursachen von Krankheiten ebenso wichtig wie Bakterien und Viren." Diese brisante Behauptung stellt nicht nur der schweizerische Naturarzt und Forscher Bruno Haefeli auf, der seine Tätigkeit der Erforschung von Pilzerkrankungen (Mykosen) gewidmet hat. Naturheilkundler und Heilpraktiker schätzen, daß mehr als die Hälfte ihrer Patienten mit Pilzerkrankungen belastet sind. Noch vor zehn Jahren waren Pilzerkrankungen des Darms und der inneren Organe eine Ausnahme.

Mykosen sind ein Symptom unserer modernen Lebensweise. Grundvoraussetzung für eine Pilzerkrankung ist eine Schwächung des Immunsystems. Antibiotika und Kortisonbehandlungen, Streß, Überflutung mit Umweltgiften, einseitige oder minderwertige Ernährung, Zusätze in Lebensmitteln usw. schwächen unser Immunsystem oder stören die natürliche Symbiose in unserem Körper. Hierdurch wird der Vermehrung von Pilzen der Boden bereitet.

Von Experten werden die verschiedenen Arten von Schimmel- und Hefepilzen für so unterschiedliche Erkrankungen wie **Herz-Kreislauf-Beschwerden**, **Rheuma**, **Arthritis**, **Gicht**, **Asthma**, **Allergien**, **Sinusitis**, **Gastritis**, **Tuberkulose**, **Krebs** und viele weitere Leiden zumindest mitverantwortlich gemacht.

So befällt der Schimmelpilz *Mucor* beispielsweise die **roten und weißen Blutkörperchen** und ruft unter anderem **Durchblutungsstörungen** hervor. *Aspergillus,* ein weiterer Schimmelpilz, setzt sich bevorzugt im **Lymphsystem** und den **Gelenken** fest, der Schimmelpilz *Penicillium* ist an **Entzündungen** beteiligt.

Zudem produzieren Schimmelpilze einige der stärksten Gifte, die wir kennen. Das bekannteste ist wohl *Aflatoxin*, das besonders häufig in Erdnüssen und Paranüssen aber auch in einer großen Anzahl anderer Lebensmittel vorkommt. Eine deftige Dosis dieses Giftes kann Teile der Leber für lange Zeit, möglicherweise für Jahre außer Kraft setzen.

Schimmelpilze befinden sich in der Natur, in feuchten Räumen oder an der Erde von Zimmerpflanzen. Nahrungsmittel wie Brot und andere Teigprodukte (vor allem wenn sie in Plastik verpackt sind), Käse, Marmelade und Fruchtsäfte können von ihnen befallen sein, oft schon, bevor sie äußerlich sichtbar werden. Auch Obst, Gemüse oder Salate bleiben nicht von ihnen verschont. Zudem werden Schimmelpilze von der Nahrungsmittelindustrie in zunehmendem Maße zur Aufbereitung von Lebensmitteln eingesetzt. Mit ihrer Hilfe wird beispielsweise Mehl locker und flockig gemacht, Fertigkartoffeln „geschält", zur Saftbereitung bestimmtes Obst „vorgemanscht" und der Geschmack von Fleisch verbessert.

Über die Atmung und Nahrungsaufnahme gelangen die Pilze in unseren Körper, wo sie sich bei geschwächter Abwehr ansiedeln und verbreiten können.

Zu den Schimmelpilzen gesellen sich die Hefepilze. Der bekannteste, häufigste und schädlichste unter ihnen ist *Candida albicans*, der den ganzen Körper in Mitleidenschaft ziehen kann. Mikrobiologen und Pilzforscher entdeckten bisher 25 verschiedene Arten von diesem Hefepilz im menschlichen Körper. Bis zu einem Drittel der Gesamtbevölkerung der westlichen Industrienationen leiden nach Aussagen von Experten an Krankheiten, die mit *Candida albicans* in Verbindung stehen. *Candida* wächst normalerweise im Darm, ohne Schaden anzurichten. Bei schlechter Abwehrlage kann dieser an sich harmlose Pilz jedoch auswuchern, sich im Darm ausbreiten und bis in die inneren Organe wie beispielsweise Lunge, Nieren oder Herz vordringen. Daneben können Haut und Schleimhäute von ihm befallen werden (siehe hierzu das Kapitel „Grapefruitkern-Extrakt zur äußeren Anwendung").

Die Ausbreitung von *Candida* im Darm und den inneren Organen kann eine große Reichweite von Symptomen hervorrufen. Hierzu gehören unter anderem **Blähungen, Durchfall, Colitis** und **Geschwüre im Verdauungssystem, Frauenkrankheiten** wie **Menstruationsbeschwerden, Sterilität, Fibrose** oder **Schwangerschaftsbeschwerden, Erkrankungen des Mannes** wie **Prostata-Beschwerden, Allergien, Hyperaktivität, hormonelle Störungen, Herzprobleme, Kopfschmerzen, Migräne, schlechtes Gedächtnis** und **mangelnde Ausgeglichenheit, Ohrenschmerzen, Asthma, Sinusitis, Nierenprobleme, Blutzuckerschwankungen, Meningitis** und **Gastritis.**

Diese unterschiedlichen Symptome werden durch die *Gifte* des Pilzes hervorgerufen. *Candida* produziert nahezu 100 unterschiedliche Toxine. Eines dieser Gifte ist eine hormonähnliche Substanz, die das Hormonsystem aus dem Gleichgewicht bringt. Andere Gifte wirken auf das Gehirn oder die Nerven ein. Auch große Mengen von Alkohol können durch *Candida* produziert werden. In einer Firma in Japan wurden Arbeiter entlassen, da sie ständig Anzeichen von Trunkenheit zeigten. Obwohl sie versicherten, keinen Schluck Alkohol getrunken zu haben, zeigten Tests einen erhöhten Alkoholspiegel an. Schließlich stellte sich *Candida* als Ursache heraus.

Die verschiedenen Gifte stellen eine große Belastung für die Leber dar, die den Körper nun auch nicht mehr ausreichend von den vielen anderen Toxinen, die in den Körper gelangen, entgiften kann. Müdigkeit, allgemeines Unwohlsein und Stimmungstiefs gesellen sich zu den anderen Symptomen.

Nach Expertenschätzungen sterben jährlich bereits 7 000 bis 12 000 Menschen in Deutschland an Pilzinfektionen. Dennoch verkennt die Schulmedizin das Ausmaß dieser Erkrankungen, und nur wenige Ärzte können die unterschiedlichen Symptome, die von Pilzerkrankungen hervorgerufen werden, der wirklichen Krankheitsursache zuordnen. Fehldiagnosen sind daher an der Tagesordnung.

Tatsächlich ist es nicht einfach, eine Pilzerkrankung zu diagnostizieren. Die von der Schulmedizin angewandten Pilztests wie z. B. eine Stuhlanalyse bringen keine Gewißheit.

Auch die Antikörperbestimmung ist unzuverlässig, da ein geschwächtes Immunsystem häufig nicht mehr genügend Antikörper bilden kann.

In dieser Situation kommt eine von Experten angewandte, spezielle Blutanalyse zur Hilfe. In einem von Biologie und Medizin kaum verwendeten Dunkelfeldmikroskop können durch einen speziellen Lichteinfall sonst unsichtbare Strukturen sowie Bewegungen im Blut sichtbar gemacht werden. Der eingangs erwähnte Arzt Bruno Haefeli entwickelte zudem eine besondere Färbetechnik, mit der es möglich ist, die feinen lebenden Strukturen im Blut in einem ganz normalen Lichtmikroskop zu erkennen. Die krankmachenden Pilze wachsen unter Lichteinfluß plötzlich aus und werden sichtbar.

Pilzerkrankungen, allen voran *Candida albicans*, galten bisher als schwer heilbar. Erfahrungen mit Grapefruitkern-Extrakt geben auch hier Anlaß zu großer Hoffnung für viele Kranke. Ärzte und Kliniken berichten von außerordentlich guten Behandlungs-Erfolgen. Dr. Leo Galland (Arzt in New York), der viele Menschen mit chronischer *Candida* behandelt hat, konnte in 297 Fällen nur 2 Fehlschläge verzeichnen. Er hält den Extrakt „für einen großen Durchbruch für Patienten mit chronischen Infektionen durch Hefepilze und Parasiten". Ein zusätzliches Plus ist, daß Grapefruitkern-Extrakt aufgrund seiner großen Wirkungsbreite das System gleichzeitig von anderen Pilzen und Bakterien entgiften kann, die *Candida* oft begleiten.

Zur Ausheilung von *Candida* sollte Grapefruitkern-Extrakt jedoch immer im Rahmen eines umfassenden Programms unter fachkundiger Anleitung eingesetzt werden. Ohne eine Umstellung der Ernährung, Entgiftung des Darms, Wiederaufbau einer gesunden Darmflora, zusätzlicher Stärkung der Immunabwehr und ähnlichen Maßnahmen kann das Wachstum der Pilze allzuleicht erneut überhand nehmen.

Zudem ist die allmähliche Steigerung der Dosis bei einer *Candida*-Behandlung besonders wichtig, da beim Absterben der Pilze starke Toxine freigesetzt werden (Herxheimer Reaktion).

Über die Anwendung von Grapefruitkern-Extrakt bei *Schimmelpilz*-Infektionen sind uns bisher keine praktischen Erfahrungen bekannt. So können wir hier noch keine verläßlichen Dosierungsangaben machen. Doch zeigen Labortests eine große Wirksamkeit bei den verschiedenen Arten von Schimmelpilzen. Eine Gruppe von Wissenschaftlern testete Grapefruitkern-Extrakt an 93 Pilzstämmen und verglich seine Wirkung mit 18 im Handel befindlichen, hochwirksamen Antimykotika (Mittel gegen Pilzbefall). Der Extrakt erwies sich als ebenso wirksam wie die verschiedenen anderen Mittel.

Seit etlichen Jahren wird Grapefruitkern-Extrakt mit großem Erfolg gegen äußeren Schimmelpilzbefall von Pflanzen und Lebensmitteln eingesetzt. Wir empfehlen zur Vorbeugung gegen die unbeabsichtigte Einnahme von Schimmelpilzen, Obst, Gemüse und Salate 10 Minuten in eine Grapefruitkern-Wasserlösung zu legen. Schimmelpilzbefall an feuchten Wänden kann durch eine konzentriertere Lösung gestoppt werden. (Siehe hierzu das Kapitel „Weitere Möglichkeiten der Anwendung von Grapefruitkern-Extrakt".)

Dosierungsrichtlinien bei *Candida albicans* und anderen Hefepilzen:
1. Woche: 3 – 9 Tropfen 1mal täglich auf ein Glas Wasser (150 – 170 ml).
2. Woche: 3 – 9 Tropfen 2mal täglich auf ein Glas Wasser (150 – 170 ml).
3. Woche: 3 – 9 Tropfen 3mal täglich auf ein Glas Wasser (150 – 170 ml).

Diese Dosis kann abgeändert werden, wenn der Patient keine „Herxheimer Reaktion" zeigt (Müdigkeit, Unwohlsein etc.)

Die Behandlung kann je nach Intensität und Ausbreitung der Erkrankung 1 – 3 Monate oder länger fortgesetzt werden.

Parasitäre Erkrankungen

„Machen wir uns nichts vor, Würmer sind die giftigsten Vertreter im menschlichen Körper. Sie sind einer der Hauptgründe für Erkrankungen und die grundlegendste Ursache für ein beeinträchtigtes Immunsystem." Die Expertin Dr. Hazel Parcells, von der diese Worte stammen, steht mit dieser Meinung nicht allein da. Ann Louise Gittlemann schreibt: „Nach über 18 Jahren Umgang mit Patienten bin ich überzeugt, daß eine der Hauptursachen für den chronisch schlechten Gesundheitszustand der Menschen unserer Zeit nichts anderes als Parasiten sind."*

Das Wort „Parasit" stammt aus dem Griechischen. *Para* bedeutet „neben" und *sitos* bedeutet „Nahrung". Ein Parasit wird als ein Organismus definiert, der auf oder in einem anderen Organismus lebt und von ihm seine Nahrung bezieht. So werden Parasiten manchmal auch Schmarotzer genannt. Über 130 Arten von Parasiten benutzen den Menschen als Wirt. Ihre Größe reicht von den mikroskopisch kleinen *Protozoen* (Einzeller) bis zum meterlangen *Bandwurm*.

Die Vorstellung, Parasiten zu beherbergen, ruft bei den meisten Menschen Abscheu hervor. So weisen wir die Idee gern weit von uns und meinen, durch die hygienischen Verhältnisse in unserem Land weitestgehend vor Parasiten geschützt zu sein. Wir haben gelernt, daß Parasiten nur in tropischen Gegenden oder unter der in unsauberen Verhältnissen lebenden Bevölkerung vorkommen. Dies ist jedoch ein gefährlicher Trugschluß, da es in einem mangelnden Gewahrsein der Risikofaktoren wie auch der Symptome resultiert, die uns auf eine Infektion mit Parasiten aufmerksam machen würden.

Von Experten werden Parasiten als die fehlende Diagnose in der Entstehungsgeschichte vieler chronischer Gesundheits-

---

* A. L. Gittlemann: „Guess what came to dinner: Parasites and your health"

probleme betrachtet. Sie sprechen von einer stillen Epidemie, die den allermeisten Ärzten nicht bewußt ist, deren Anerkennung jedoch schließlich das Geheimnis vieler chronischer Erkrankungen lösen kann.

Im Jahre 1976 wurde vom „Center for Disease Control (CDC)" in den USA die erste und bisher einzige landesweite Untersuchung über den Befall der Gesamtbevölkerung mit Parasiten durchgeführt. Es stellte sich heraus, daß im Durchschnitt eine von sechs zufällig ausgewählten Personen eine oder mehrere Arten von Parasiten beherbergte. Dr. Louis Parish stellte bei mindesten 8 von 10 seiner Patienten eine Parasiten-Infektion fest. Aufgrund seiner Erfahrungen schätzt er, daß heutzutage 25 % der Bevölkerung der Stadt New York infiziert sind. Nach anderen Schätzungen werden die Hälfte aller Amerikaner zu einem Zeitpunkt ihres Lebens von Parasiten befallen.

In Europa sind unseres Wissens bisher keine vergleichbaren Untersuchungen durchgeführt worden, doch sind die Gründe, die in den USA zu einem rapiden Anstieg der Parasiteninfektionen führten, auf unserem Kontinent die gleichen:*

- Der Anstieg des internationalen Reiseverkehrs. Reisen haben unseren Planeten in ein globales Dorf verwandelt, und Parasiten haben auf diese Weise „Flügel" entwickelt.
- Der Zufluß von Flüchtlingen und Immigranten aus befallenen Gebieten.
- Das Halten von Haustieren, die unsere Wohnung und nicht selten auch unser Bett mit uns teilen. Haustiere sind Träger zahlloser Parasiten. Etwa 65 ansteckende Krankheiten können von Hunden und ca. 40 von Katzen auf den Menschen übertragen werden.
- Die wachsende Popularität von exotischen Restaurants mit ihrem Angebot an rohen oder halbgegarten Gerichten.

---

* Diese Aufzählung bitten wir weder als ausländerfeindliche Gesinnung, noch als einen moralisierenden Vorwurf gegenüber bestimmten Sexualpraktiken zu verstehen.

- Der Gebrauch von Antibiotika und anderen Medikamenten, die die Immunfunktionen unterdrücken.
- Die zunehmende Unterbringung von Babys und Kleinkindern in Tagesstätten. Das Wechseln vieler Windeln durch die gleichen Hände ist hier die Hauptquelle der Ansteckung. Von den Babys wird dann die Infektion sehr häufig auf die Eltern übertragen.
- Die sexuelle Revolution mit ihren Praktiken des Anal- und Oralverkehrs und/oder häufig wechselnden Partnern.

Der Aktionsradius der Parasiten ist unerwartet weit. Die meisten Eindringlinge bewohnen den **Verdauungstrakt**, dicht gefolgt vom **Blut- und Lymphsystem**. Im Darmbereich rufen sie häufig Verdauungsprobleme wie **Blähungen**, **Verstopfung** oder **Durchfall** hervor. Oft setzen sich Parasiten an den Darmschleimhäuten fest und bauen dort Nahrung von ihrem menschlichen Wirt ab. Nicht nur die großen *Bandwürmer* können so einen Zustand der **Mangelernährung** hervorrufen mit den Folgen von **Müdigkeit**, **Apathie**, **Depressionen**, **mangelnder Konzentrationsfähigkeit**, **Gedächtnisschwäche** und vielem mehr. Eine genügend große Anzahl kleinerer Parasiten können die gleiche Wirkung erzielen. Zudem können Parasiten die **Darmwände reizen**, **entzünden** und **perforieren**. Letzteres erhöht ihre Durchlässigkeit, und große, unverdaute Moleküle können hindurchwandern und in die Blutbahn gelangen mit der Folge einer **Lebensmittelallergie** (siehe hierzu auch unter „Allergien").

Jenseits des Darms können sich Parasiten in **Gelenken** und **Muskeln** festsetzen, **Zysten** bilden und **Entzündungen** hervorrufen. Der entstehende Schmerz wird oft einer **Arthritis** zugeschrieben. Parasiten können ins **Gehirn** wandern und **Granulome in Lunge, Leber, Uterus** oder anderen Organen bilden. Ihre toxischen Stoffwechselsubstanzen können das **Zentralnervensystem** angreifen. **Ruhelosigkeit**, De-**~~.~~onen** und **Ängste** sind oft das Resultat.

Dringen Parasiten in die **Haut** ein, rufen sie oft **Ausschläge, Ekzeme, Schwellungen, Knötchen (Papulas), Haut-geschwüre** oder juckende **Dermatitis** hervor.

Parasiten können offenbar auch einen Co-Faktor in der Entwicklung von **AIDS** darstellen. Forscher der „University of Virginia School of Medicine" sehen einen Zusammenhang zwischen einem epidemieartigen Ausbruch einer *Amöben*-Infektion 2 Jahre vor dem Ausbruch von **AIDS** in San Francisco. *Amöben* produzieren eine Substanz, die jene Abwehrzellen des Immunsystems aufbricht, die den HIV-Virus einschließen und inaktivieren. Werden sie in den Blutstrom entlassen, können sich die Viren ungehindert vermehren und ihr tödliches Potential entfalten.

Die Forscherin und Autorin Dr. Hulda Regehr Clark (USA) fand heraus, daß verschiedene *Trematoden (Saugwürmer),* darunter der *Darmegel* und der *Leberegel*, die normalerweise nur in ihrer ausgewachsenen Form im Menschen vorkommen, beim Vorhandensein von Lösungsmitteln im Körper alle 6 Phasen ihrer Entwicklung im Menschen vollziehen können. Dabei können sie das Organ, in dem sie sich normalerweise ansiedeln, verlassen und ihre Entwicklung in irgendeinem anderen Organ oder sonstigen Bereich des Körpers vollenden. Beginnen sie dort ihre Reproduktion, können daraus gemäß den Forschungen von Dr. Clark die unzähligen Arten von **Krebs** entstehen. Die Forscherin fand „verirrte" Darmegel in 100 % der von ihr behandelten Fälle von **Krebs**. Auch die **Alzheimersche Krankheit, Diabetes, Hodgkinsche Krankheit** und vieles mehr können auf das Konto „verirrter" Egel gehen.

Da sich der beschriebene Prozeß nur beim Vorhandensein von Lösungsmitteln vollziehen kann, nennt die Autorin ihn eine neue Art von Parasitismus, hervorgerufen durch die „Nebenwirkungen" unserer modernen Wohlstandsgesellschaft. Lösungsmittel finden sich nicht nur in Lacken, Farben, Reinigungsmitteln und Kunststoffböden. Sie sind ebenso in Körperpflegemitteln wie Cremes, Shampoos, Seifen, Zahncremes etc. wie auch in verarbeiteten Lebensmitteln zu finden, wohin sie vermutlich durch die Sterilisierung von Verarbeitungs- und Abfüllgeräten, den Herstellungsprozeß oder durch das Hinzufügen von Geschmacksstoffen oder Farben gelangen, die mit Hilfe von Lösungsmitteln extrahiert wurden. (Die Autorin weist darauf hin, daß das Lösungsmittel Propylalkohol, das sie bei allen Krebserkrankungen im Körper fand, seit ca. 100 Jahren vom Menschen benutzt wird und somit etwa ebenso alt ist wie Krebs. Doch wurde es in früheren Zeiten sehr viel weniger eingesetzt.)

Darüber hinaus führt das Vorhandensein von Parasiten zu einer enormen **Schwächung des Immunsystems**. Verschiedene Parasiten wie beispielsweise das weitverbreitete Protozoon *Giardia lamblia** reduzieren die Produktion von Immunglobulin A und behindern damit das reibungslose Funktionieren unserer Immunabwehr. Gleichzeitig wird durch die Gegenwart von Parasiten die Immunreaktion unablässig herausgefordert. Dieses permanente „Ziehen an zwei Enden" kann das lebenswichtige Abwehrsystem schließlich erschöpfen.

Zu dem eingangs erwähnten mangelnden Gewahrsein seitens der meisten Ärzte für das Ausmaß der parasitären Infektionen kommt hinzu, daß ein Befall häufig schwer zu diagnostizieren ist. Untersuchungen des zufällig ausgewählten Stuhls – die von den meisten Ärzten angewandte Standardmethode – hat sich als unzureichend und unzuverlässig herausgestellt. Basierend auf den falschen negativen Ergebnissen schließen dann die meisten Ärzte Parasiten als zugrundeliegende Ursache einer Erkrankung aus. Zudem manifestieren sich die Symptome einer Infektion nicht immer unmittelbar nach der Infizierung. In vielen Fällen treten sie erst Tage bis Monate später in Erscheinung.

---

* Dr. Steven Rochlitz schreibt in seinem Buch „Allergien und Candida", daß in den USA über 50 % der Wasserversorgung mit *Giardia lamblia* verseucht ist und diese Protozoen anders als Bakterien nicht durch Chlor vernichtet werden. Aus Europa sind uns keine vergleichenden Untersuchungen bekannt, doch mögen auch bei uns in dieser Beziehung ähnliche Verhältnisse herrschen.

Wird trotz dieser Erschwernisse eine Infektion mit Parasiten diagnostiziert und medikamentös behandelt, treten durch die oft starken Nebenwirkungen der handelsüblichen chemischen Mittel nicht selten neue Probleme auf.

Auch hier kommt uns Grapefruitkern-Extrakt zur Hilfe. Er ist nicht nur im Gegensatz zu chemischen Wurmmitteln nebenwirkungsfrei, sondern zudem auch bei Parasiten äußerst effektiv. Eine große Anzahl von parasitären Infektionen wurde mit dem Extrakt erfolgreich behandelt. Sein weites Wirkungsspektrum kann uns im Falle einer Fehldiagnose „aus der Patsche" helfen. So kann beispielsweise eine vermeintliche bakterielle Magen-Darm-Infektion trotz falscher Diagnose ausgeheilt werden – und das, ohne unseren Körper mit einem nutzlosen Medikament zu belasten.

Bisher wurde der Extrakt beim Menschen vor allem bei parasitären Mikroorganismen eingesetzt. Die bisherigen Erfahrungen mit Tieren zeigen jedoch darüber hinaus auch bei größeren Organismen eine deutliche Wirkung.

Dosierung: 2- bis 3mal täglich 3 – 15 Tropfen nach Angaben im Kapitel „Grapefruitkern-Extrakt zur inneren Anwendung".

Allergien

Allergien gehören zu jenen Erkrankungen, die immer häufiger als moderne „Plagen" bezeichnet werden. Bereits Babys und Kleinkinder werden von ihnen „heimgesucht", und oft verursacht diese Erkrankung viel Leid.

Über die medizinische Bedeutung hinaus ist der Begriff Allergie in den allgemeinen Sprachgebrauch eingegangen. Im Sinne des Volksmundes reagiert jemand allergisch, wenn ein Reiz, der für andere vollkommen neutral sein kann, eine starke Abwehr hervorruft. Auf sehr ähnliche Weise lassen sich auch allergische Erkrankungen charakterisieren. Sie bedeuten eine Überreaktion auf einen individuellen, in den meisten Fällen harmlosen Reiz, wie Pollen, Tierhaare, Lebensmittel, Medikamente oder Chemikalien, die schon in geringer Dosierung eine allergische Reaktion auslösen können.

Man nimmt heute eine allgemeine Überlastung des Immunsystems als Hauptursache für das Entstehen einer Allergie an. Unser Immunsystem verhält sich dabei ähnlich wie ein Mensch, der immer wieder Dinge „schlucken" und verarbeiten muß und schließlich „überreagiert", wenn die Belastung allzu groß wird. Bestimmte Reize werden für ihn zu einem „roten Tuch" und lassen ihn beim geringsten Anlaß „aus der Haut fahren".

Gemäß neueren Forschungsergebnissen wird zwischen zwei Arten von Allergien unterschieden, die durch unterschiedliche Antikörper, Immunglobulin E (IgE) und Immunglobulin G (IgG), gekennzeichnet sind und manchmal als **Primär-** und **Sekundär-Allergien** bezeichnet werden. Die **Primär-Allergie** wird durch unmittelbar auftretende, deutliche Symptome charakterisiert, wie **Hautausschläge** oder **Asthmaanfälle**, die innerhalb von Minuten bis zu zwei Stunden nach dem Kontakt mit dem Allergen auftreten. Bereits eine geringe Dosis des Allergens kann eine immense, manchmal lebensbedrohliche Reaktion auslösen.

Lange Zeit hat sich die Allergieforschung nur mit dieser Art von Allergien beschäftigt. Doch zeigen 70 % der Patienten, die an allergieähnlichen Symptomen leiden, keine so unmittelbare Reaktion auf ein bestimmtes Allergen. Auch konnten bei ihnen keine IgE-Antikörper gefunden werden. So wurden ihre Symptome, die von verständnisvollen Therapeuten gemeinhin als **Lebensmittelintoleranz** oder auch **verborgene Lebensmittelallergie** bezeichnet wurden, von vielen Ärzten als Einbildung oder gar Neurose abgetan.

Erst neuerdings erkannte die Forschung, daß diese „Waisenkinder" unter den Allergien ihren eigenen Antikörper, IgG genannt, besitzen. Mit Hilfe eines speziellen Bluttests* können diese Allergien nun erkannt und mit großer wissenschaftlicher Genauigkeit diagnostiziert werden. Ohne ein solches Hilfsmittel ist eine **Sekundär-Allergie** schwer festzustellen, da die Reaktion verzögert auftritt – zwischen Stunden bis Tagen nach Genuß der betreffenden Nahrung.

Für das Entstehen einer **Sekundär-Allergie**, deren Antigen immer ein Nahrungsmittel ist, werden zwei Grundbedingungen verantwortlich gemacht: eine zu geringe Magensäureproduktion und eine „perforierte" Darmwand. Der Mangel an Magensäure führt dazu, daß schwerverdauliche Proteine nicht genügend vorverdaut und zerlegt werden. Weist die Darmwand außerdem zu große Öffnungen auf, treten die unverdauten Nahrungs-Moleküle in den Blutstrom ein, wo sie als Fremdkörper angesehen und behandelt werden.

Die B-Lymphozyten des Immunsystems machen sich nun daran, die „Nahrungsgifte" zu entsorgen. Dazu produzieren sie die erwähnten IgG-Antikörper, die sich an die Moleküle heften, um sie zu identifizieren. Die entstandenen Nahrungsteilchen-IgG-Komplexe werden, wenn alles gut geht, von weißen Immunzellen aufgefressen. Sind es jedoch zu viele, lädt der Körper sie in Gelenken, Muskeln, Haut, Gehirn, Lun-

---

* ELISA-Bluttest = „Encyme Linked Imuno Sorbant Assay" Institut-Anschrift siehe im Anhang unter „Bezugsquellen".

gen, Arterien oder an so ziemlich jedem beliebigen Ort im Körper ab. Dies führt zu **Fehlfunktionen, Entzündungen, Schmerzen, Degenerationserscheinungen** oder **Wasseransammlungen** in den betroffenen Bereichen.

Ferner verbraucht das Immunsystem im Kampf gegen diese „Nahrungsgifte" einen großen Teil seiner Kapazität, so daß es gegen Infektionen nur mangelhaft gerüstet ist.

Die **sekundäre Lebensmittelallergie** kann eine große Bandbreite von Symptomen hervorrufen. Bisher wurde von über 50 krankhaften Allgemeinzuständen und 200 spezifischen Symptomen im Zusammenhang mit dieser Art der Allergie berichtet. Die Symptome können in fast jedem Organ oder Gewebe auftreten. Einige der häufigsten sind **Kopfschmerzen** oder **chronische Migräne, Müdigkeit, Durchfall, Verstopfung, Blähungen, Morbus-Crohn, Colitis, Ekzeme, Nesselsucht, Asthma** sowie mehrere Arten von **Rheuma**. In unzähligen Fällen verschwanden diese und viele weitere Symptome oder verbesserten sich zumindest bedeutend, wenn die betroffenen Lebensmittel weggelassen wurden.

Auch die **primären Allergien** gegen Pollen, Tierhaare, Hausstaub, bestimmte Nahrungsmittel etc. werden in der Regel stark gebessert, sobald das Problem der **sekundären Allergien** gelöst ist. Auf jeden Fall ist nun eine sehr viel geballtere Ladung des Antigens erforderlich, um eine allergische Reaktion auszulösen.

Gründe für die beschriebene mangelnde Produktion von Magensäure sind neben hastigem Essen, Streß, bestimmten Medikamenten, Alter und Alkoholmißbrauch **Entzündungen im Magen-Darm-Bereich**, hervorgerufen durch *Parasiten, Candida albicans* oder andere *Mikroorganismen.*

Wenn im Darm eine Entzündung vorhanden ist, schaltet ein Reflex die Sälzsäure-Produktion im Magen aus. Die Natur fordert uns auf zu fasten, doch hören wir in der Regel nicht auf sie. Durch den Mangel an Magensäure fehlt die Vorverdauung und zu große Moleküle wandern in den Darm. Treffen sie dort auf „perforierte" Darmwände, beginnt der beschriebene Prozeß.

Die häufigsten Ursachen für eine „durchlöcherte Darm-wand" sind Antibiotika und Schmerzmittel, Alkohol, einsei-tige Ernährung, Flaschenernährung im Säuglingsalter und die Aufnahme von fester Nahrung vor dem 6. Monat, **Infek-tionen** durch *Parasiten, Helicobacter pylori* und *Candida albicans*. Wenn beispielsweise der *Candida*-Hefepilz „ausufert", entwickelt er lange Fäden, die wie die Wurzeln von Pilzen durch die Darmwand wachsen und sie auf diese Weise durchlöchern können. Parasiten können ähnliches durch ihren Biß bewirken.

Wie bereits erwähnt, können wir einen enormen Rück-gang von Symptomen erreichen, wenn wir die betreffenden Nahrungsmittel aus unserem Speiseplan streichen. Die B-Lymphozyten, die eine IgG-Produktion auslösen, besitzen nur eine Erinnerungszeit von 2 – 3 Monaten. Wenn wir das Nah-rungsmittel für 3 Monate entziehen, können wir es danach meist ohne allergische Reaktion wieder zu uns nehmen.

Doch werden neue Nahrungsmittelallergien auftreten, wenn wir die zugrundeliegenden Bedingungen, die unsere Lebensmittelallergie ursprünglich ausgelöst haben, nicht beseitigen.

Hier kann Grapefruitkern-Extrakt hilfreich eingreifen und die belasteten Magen- und Darmwände von Parasiten, Bak-terien und Pilzen befreien. Die Beseitigung der toxischen Last, die mit den Lebensmittelallergien einhergehen, kann das Im-munsystem so sehr entlasten, daß auch die **Primär-Allergi-en** größtenteils verschwinden. Ein entlastetes Immunsystem kann ferner seine anderweitigen Aufgaben sehr viel effekti-ver bewältigen.

Dosierung: Siehe hierzu die Kapitel über die jeweils betref-fenden Infektion durch Bakterien, Pilze oder Parasiten.

Grapefruitkern-Extrakt als Mittel zur Vorbeugung

Nachdem wir gesehen haben, wie leicht Krankheitserreger – seien es Bakterien, Viren, Pilze oder Parasiten – in unseren Körper gelangen und wieviel Unheil sie dort anrichten können, mag sich die Frage erheben: Wäre es nicht klug, täglich einige Tropfen Grapefruitkern-Extrakt zur Vorbeugung gegen die ungebetenen „Gäste" zu nehmen? Wenn es so ungiftig ist, kann es ja nicht schaden, aber doch viel nützen.

Diese Frage muß jeder für sich selbst beantworten, doch wollen wir einige Informationen als Entscheidungshilfe geben.

Bisher sind auch bei langem Gebrauch keinerlei Nebenwirkungen bekanntgeworden. Vom Entdecker des Grapefruitkern-Extrakts, Dr. Harich, wird berichtet, daß er seit 13 Jahren jeden Morgen 2 Tropfen als Präventivmaßnahme zu sich nimmt. Mit 70 Jahren fliegt er noch ständig in der Welt herum und organisiert seine internationalen Aktivitäten.

Der Biobauer Knud Dencker-Jensen, der in Dänemark Grapefruitkern-Extrakt für den biologischen Landbau und die Tierhaltung vertreibt, erzählte uns von einer dänischen Bäuerin, die seit mehr als einem Jahr jeden Tag einen Teelöffel des Extrakts zu sich nimmt und sich nie so gesund gefühlt hat. Die erstaunliche Wirkung auf ihre Tiere hatte sie dazu inspiriert, und bald fanden sich weitere Anhänger ihrer „Therapie" unter den benachbarten Bäuerinnen ein. Wir möchten eine solch hohe Dosis nicht zur Nachahmung empfehlen, doch demonstriert diese kleine Begebenheit die Unschädlichkeit des Extrakts auch bei hoher Dosierung über einen langen Zeitraum hinweg.

Verschiedene Ärzte verschreiben in speziellen Fällen eine Dauereinnahme für ein Jahr oder länger, beispielsweise zur Vorbeugung bei Patientinnen mit wiederkehrender Vaginitis (Scheidenentzündung). Der Arzt Dr. Leo Galland aus New York berichtet, daß sich selbst bei einer Einnahme über zwölf

Monate hinweg keinerlei Nebenwirkungen zeigten. Ferner stellte sich bei keinem seiner Patienten eine Immunresistenz ein. Letzteres ist ein Problem, das bei einer häufigen Einnahme von Antibiotika auftreten kann. Grapefruitkern-Extrakt scheint hingegen auch bei langem Gebrauch nichts von seiner Wirkung einzubüßen.

Wir denken, daß bei einem intakten Immunsystem eine Vorbeugung nicht notwendig ist. Ist unser Immunsystem jedoch geschwächt oder haben sich chronische Krankheiten festgesetzt, so kann die tägliche Einnahme einiger Tropfen Grapefruitkern-Extrakt sehr hilfreich sein. Neben der Heilwirkung kann sie uns davor bewahren, unser Immunsystem zusätzlich mit akuten Infektionen zu belasten.

Doch möchten wir von einer vorbeugenden Dauereinnahme bei Babys und Kleinkindern abraten. Bei unserer Geburt ist unser Immunsystem noch nicht ausgebildet, es muß seine Fähigkeit, uns vor Krankheiten zu schützen, erst durch Übung erwerben. Nehmen wir einem Kind in frühem Alter die Möglichkeit zu „üben", wie dies zum Beispiel durch die allzu schnelle und wiederholte Gabe von Antibiotika, von fiebersenkenden Mitteln und Impfungen häufig geschieht, kann sich das Immunsystem nur mangelhaft entwickeln. Auch die Dauereinnahme von Grapefruitkern-Extrakt wäre aus dem gleichen Grund nicht angebracht. Doch kann der Extrakt im Falle einer Erkrankung auch hier eine wunderbare, unschädliche Alternative zu Antibiotika oder anderen Medikamenten darstellen. Die empfindliche Darmflora des Kindes bleibt intakt, und es treten bei sachgemäßer Anwendung keine Nebenwirkungen auf.

Bei Reisen in ferne Länder ist eine vorbeugende Einnahme jedoch in jedem Fall ratsam. Siehe hierzu das Kapitel „Die kleinste Reiseapotheke der Welt". Auch wenn eine Grippewelle im Anzug ist oder ein ansteckendes „Darmbakterium umgeht", kann uns die Vorbeugung mit Grapefruitkern-Extrakt wirksam vor einer ansteckenden Erkrankung schützen.

Die kleinste Reiseapotheke
der Welt

Vorbeugen ist besser als Heilen
– VOLKSWEISHEIT –

Wer hat es nicht schon einmal erlebt: Endlich beginnt der langersehnte Urlaub in einem fremden Land, doch anstatt die Sonne und die schöne Landschaft zu genießen, werden wir vom Durchfall geplagt. Führt unsere Reise uns nach Asien, Afrika oder Südamerika, so müssen wir womöglich jeden Tag unser Trinkwasser abkochen oder mit einer Chlortablette desinfizieren, um uns nicht noch Schlimmeres als einen einfachen Durchfall zu holen. Auch Ungekochtes ist tabu oder muß mit Chlor „vorbehandelt" werden, da sonst mit den frischen Tomaten allzu leicht einige andere ungebetene Gäste in unseren Körper gelangen. Doch selbst diese Vorsichtsmaßnahmen sind noch keine Garantie, wenn wir versehentlich unsere Zahnbürste mit Leitungswasser befeuchten.

Sagt uns jemand nach einer solchen Reise: „Vergiß bei deinem nächsten Trip all die umständlichen Maßnahmen, trink das Wasser, iß, was dir gefällt, und genieße deinen Urlaub", so mag er nur ein müdes Lächeln von uns ernten. Doch hat sich Grapefruitkern-Extrakt in der Tat als eine wunderbare, einfache Alternative erwiesen. Verschiedene Ärzte empfehlen, zur Vorbeugung täglich 3 bis 5 Topfen Grapefruitkern-Extrakt mit einem Glas Wasser zu trinken – und uns an den fremden kulinarischen Genüssen unbeschwert zu erfreuen.

Dr. C. W. Lynn aus Orlando, Florida, hat dazu eine interessante Erfahrung gemacht. Er reiste mit einer Gruppe von 38 Patienten nach Mexiko und Südamerika. Die Hälfte der Gruppe nahm täglich 3 Tropfen Grapefruitkern-Extrakt zu sich. Nicht einer wurde krank, während die gesamte andere Hälfte der Gruppe Durchfall bekam.

In Ländern, in denen die hygienischen Verhältnisse sehr mangelhaft und lebensbedrohende Infektionskrankheiten noch an der Tagesordnung sind, raten wir dennoch, zusätzlich das Trinkwasser zu desinfizieren sowie Früchte, Salate und Eßutensilien in desinfiziertem Wasser zu waschen oder es einige Minuten hineinzulegen. Grapefruitkern-Extrakt ist hierzu ein gesunder Ersatz für Chlor, das bekanntlich nicht frei von Nebenwirkungen ist. Zur Desinfizierung reicht in der Regel eine Verdünnung von 200 ppm aus, dies entspricht ca. 20 Tropfen auf 1 Liter Wasser. Selbstverständlich dürfen es auch einfach einige Tropfen auf ein Glas Wasser sein. Vor dem Genuß sollten wir den Extrakt gut verrühren und ihm einige Minuten Zeit geben, um zu wirken. Der kaum wahrnehmbare, leicht bittere Geschmack des Grapefruitkern-Extrakts wird in aller Regel gern in Kauf genommen.

Wenn Getränke mit Eiswürfeln gereicht werden, ist ebenfalls daran zu denken, daß diese nicht selten eklatante Keimüberträger sind, wie Untersuchungen in vielen Ländern gezeigt haben. Ein wenig Grapefruitkern-Extrakt garantiert uns auch hier den Schutz vor Ansteckung. Außerdem sollten wir nicht vergessen, dem Zahnputzwasser einige Tropfen Extrakt zuzusetzen. Zähne und Zahnfleisch werden es uns zusätzlich danken.

Die wasserreinigende Wirkung des Grapefruitkern-Extrakts kann auch eine große Hilfe für jene Abenteurer sein, die Gegenden fremder Zivilisationen erkunden wollen, wo kein Wasser aus der Leitung fließt. Das Wasser aus Bächen und Seen ist sogar in unberührten Gebieten nicht unbedingt „sicher". Ein Filter bedeutet gewöhnlich eine unangenehme Last im Gepäck und hält im übrigen nicht immer, was er verspricht. Einige Tropfen Grapefruitkern-Extrakt sind auch hier eine willkommene Alternative. Die genaue Dosierung wurde oben bereits erwähnt. Enthält das Wasser viele Schmutzpartikel, sollte es zuvor durch ein möglichst engmaschiges Tuch gefiltert werden.

Natürlich ist der Extrakt überdies eine wirksame Hilfe, wenn wir uns auf Reisen bereits eine Krankheit zugezogen haben.

Nicht nur die Grippe, die uns gerade jetzt erwischt, wird schneller auskuriert. Auch die vielen, für uns ungewohnten Bakterien, mit denen wir auf Reisen in Berührung kommen, können es sich in unserem Körper nicht lange heimisch machen, wenn wir Grapefruitkern-Extrakt zur Hand haben. Im Falle einer Erkrankung empfiehlt sich eine regelmäßige Einnahme von 3 – 15 Tropfen 2- bis 3mal täglich auf ein Glas Wasser, bis die Symptome abklingen. (Siehe hierzu auch unter „Grapefruitkern-Extrakt zur inneren Anwendung".)

Darüber hinaus bietet sich Grapefruitkern-Extrakt selbstverständlich bei vielen anderen Unpäßlichkeiten an, die uns auf einer Reise begegnen können. So haben wir nicht nur bei einer Magen-Darm-Verstimmung, Parasitenbefall oder Halsentzündung, sondern auch bei einem lästigen Fußpilz, bei Insektenstichen und jeglicher Art von Schürf-, Schnitt- oder Bißwunden mit Grapefruitkern-Extrakt dank seiner natürlichen antiseptischen, keimtötenden und fungiziden Wirkung stets ein interessantes Universalmittel zur Hand.

Und wie der „Zufall" manchmal so spielt, rief uns eines Abends einer unserer amerikanischen Verleger an und erzählte unter anderem von seiner bevorstehenden Vortragsreise durch mehrere Länder. Wir wünschten ihm alles Gute, und daß er gesund heimkehren möge. „Of course", meinte er mit überzeugter Stimme, „seit einiger Zeit benutze ich auf allen Reisen einen gewissen Grapefruitkern-Extrakt – den kennt ihr bei euch sicher noch nicht. Seitdem spielt meine Gesundheit auf Reisen immer mit!" Er ahnte damals noch nicht, daß wir gerade dabei waren, über diesen wunderbaren Extrakt ein neues Buch zu schreiben.

Erfahrungsberichte

Frau aus Bantry: „Ich litt seit etlichen Jahren an Aphten im Mund. Die diversen Mittel hatten nur eine vorübergehende oder überhaupt keine Wirkung gezeigt. Ein Freund empfahl mir Grapefruitkern-Extrakt, und ich spülte meinen Mund mehrmals täglich damit aus. Nach 24 Stunden zeigte sich eine deutliche Besserung, nach 48 Stunden waren meine Beschwerden verschwunden. Welch eine Erleichterung nach so langer Zeit. Ich konnte es kaum glauben. Ich spüle nun regelmäßig nach dem Zähneputzen meinen Mund mit verdünntem Grapefruitkern-Extrakt, und die Entzündung ist nicht mehr zurückgekehrt."

Lisa C. aus Castletown: „Mit Blasenentzündungen hatte ich schon häufig zu tun, doch als es vorletzten Monat wieder ganz schlimm wurde, nahm ich erneut sehr starke Antibiotika, die mir der Arzt als letzte Möglichkeit verschrieb. Sehr elend habe ich mich danach gefühlt. Kurze Zeit später hatte ich schon wieder die gleichen Blasenbeschwerden und war der Verzweiflung recht nahe, denn ich hatte wieder Blut im Urin, und das Ziehen wurde unerträglich – was sollte jetzt noch helfen? Als ihr mir dann die kleine Flasche mit dem Grapefruitkern-Extrakt brachtet, hatte ich ehrlich gesagt nicht viel Hoffnung, aber aus lauter Verzweiflung nahm ich dann doch die Tropfen, wie ihr mir gesagt hattet. Zu meiner Überraschung verschwanden das Blut im Urin und die starken Schmerzen beim Urinlassen innerhalb einiger Stunden, dennoch hatte ich noch über etwa eine Woche leichte Beschwerden. So entschloß ich mich, da ich keinen anderen Weg sah, erneut zum Arzt zu gehen, um mir wieder Antibiotika verschreiben zu lassen. Ich vereinbarte also telefonisch einen Termin für den nächsten Tag. Zu meiner Überraschung war ich am nächsten Morgen jedoch völlig beschwerdefrei, so daß ich den Arzttermin erst einmal wieder absagte. Bis heute (3 Wochen später) kehrte die Blasenentzündung nicht zurück. Endlich scheint sie überwunden zu sein – ich möchte euch sehr für das Grapefruit-Mittel danken."

(*Anmerkung der Autoren:* Wahrscheinlich brauchte ihr Körper durch die vorherige Einnahme von Antibiotika länger, um völlig auf den Grapefruitkern-Extrakt zu reagieren. Auch nach 3 Monaten war Lisa C. noch immer beschwerdefrei.)

Junger Mann aus Bantry: „Ich möchte von einer erstaunlichen Erfahrung mit dem Grapefruitkern-Extrakt berichten. Seit meiner Kindheit bekam ich schwere Asthmaanfälle, die sich im Laufe der Jahre noch steigerten. Schließlich mußte ich bei jedem Anfall sofort ins Krankenhaus und dort in der Regel eine Woche lang bleiben. Ich probierte den Grapefruitkern-Extrakt ohne große Erwartungen aus. Als sich die Anzeichen eines neuen Anfalls zeigten, klangen sie plötzlich wieder ab, und ich konnte zu Hause bleiben. Ich nehme nun den Extrakt weiterhin regelmäßig und bin gespannt, wie es weitergeht. Bisher bin ich von neuen Anfällen verschont geblieben."

Alan C. aus Cork: „Grapefruitkern-Extrakt hat mich nach jahrelangen vergeblichen Versuchen mit Diäten und anderen Mitteln von *Candida albicans* geheilt. Ich habe mich nie so frisch und rundum wohl gefühlt. Mein ständiger Drang nach Naschereien ist ebenfalls verschwunden. Meine Frau, die auch an *Candida* litt, hat ähnlich wunderbare Erfahrungen gemacht. Ich bin wirklich dankbar, daß es so etwas gibt."

Junge Frau aus Glengarriff: „Seit meiner Schwangerschaft vor 8 Jahren hatte ich eine Pilzinfektion in der Scheide, die nicht weggehen wollte. Ich versuchte es mit Mitteln aus der Apotheke und mit Aloe Vera und Teebaumöl, aber der Erfolg war nie von langer Dauer. Als ich von dem Grapefruitkern-Extrakt hörte, machte ich Spülungen damit und legte über Nacht einen getränkten Tampon ein. Nach wenigen Tagen hörte der Juckreiz auf, doch setzte ich die Behandlung noch weitere 10 Tage fort, um sicherzugehen. Gleichzeitig nahm ich das Mittel ein, und zu meiner Überraschung besserten sich meine Verdauungsbeschwerden. Endlich habe ich wieder Spaß am Sex, und der lästige Juckreiz hat sich auch nicht wieder eingestellt."

Thomas B. aus Frankfurt/M.: „Mein Ekzem auf der Kopfhaut ist verschwunden – endlich nach sechs Jahren. Ich habe den Grapefruitkern-Extrakt nur zweimal angewandt, und habe nun keine Probleme mehr."

Farmer aus Skibbereen: „Eines Tages entwickelte sich auf meiner Haut am Bein ein kreisrunder, juckender, roter Fleck, ein „Ringworm" (Pilzinfektion durch Microsporum, Pilzgattung aus der Gruppe Fungi imperfecti), wie man das bei uns nennt. Diese Pilzerkrankung haben oft die Kühe, und auf einer Farm steckt man sich leicht damit an. Sonst habe ich mir immer was aus der Apotheke besorgt. Ein Freund hatte mir aber jetzt ein Fläschchen mit dem Grapefruitkern-Extrakt geschenkt. Also schmierte ich mir etwas davon aufs Bein, zweimal täglich versteht sich, wie bei dem Mittel aus der Apotheke. Ich wußte ja, wie hartnäckig die Viecher sind, aber diesmal verschwanden sie tatsächlich schneller als sonst. Das ist schon toll, daß etwas aus der Natur so gut hilft."

Krankenschwester aus Cork: „Ich muß sagen, daß Grapefruitkern-Extrakt mein Leben verändert hat. Seit vielen Jahren habe ich ein Geschwür am Bein. Es war ständig offen, und zum Schutz vor Infektionen mußte ich immer einen Verband tragen und regelmäßig ins Krankenhaus zur Behandlung. Die Schmerzen ließen mich oft nicht schlafen, so daß ich dauernd Schmerztabletten nehmen mußte. Als man mir im Krankenhaus schließlich sagte, daß mein Bein wohl amputiert werden müßte, war ich völlig verzweifelt. Ich versorgte damals eine alte Dame, und ihr Sohn wußte über Kräuter Bescheid. Als ich ihm in meiner Verzweiflung mein Leid klagte, mischte er mir eine Tinktur zurecht und sagte mir, ich sollte den Verband für mein Bein täglich damit tränken. Die Tinktur enthielt einige Kräuter, aber mein Bein besserte sich kaum. Er probierte verschiedene Sachen aus, und eines Tages sagte er mir, daß er ein neues Mittel hätte, Grapefruitkern-Extrakt, das er den anderen Sachen beimischen wollte. Die Schmerzen hatten sich vorher schon durch Aloe Vera gebessert, aber das neue Mittel vollbrachte wahre Wunder. Heute habe ich zwar das Geschwür noch, aber die Infektion ist zum ersten Mal seit 9 Jahren abgeheilt. Ich schlafe wieder wunderbar und ohne Tabletten. Ich habe keine Schmerzen mehr und brauche nicht mehr ins Krankenhaus zur Behandlung. Mein Bein habe ich behalten dürfen. Welch ein Segen. Ich danke Gott für dieses Wunder."

Olivia K. aus Regensburg: „Einer meiner Zehen schmerzte seit einigen Tagen, und als ich nachschaute, war der Bereich um den Nagel herum geschwollen und gerötet. Das sah nach einem Nagelumlauf aus. Nachdem ich den Grapefruitkern-Extrakt bereits erfolgreich bei einer *Candida-albicans*-Infektion in Darm und Scheide angewandt hatte, versuchte ich es nun auch hier damit und betupfte die Stelle etwa 4mal mit dem Extrakt. Danach vergaß ich meinen Zeh, der keine Beschwerden mehr machte. Als ich mich nach einigen Tagen daran erinnerte und nachschaute, waren Rötung und Schwellung verschwunden. Welch ein tolles Mittel. Ich empfehle es allen meinen Freunden."

John S. aus Killarney: „Seit über zehn Jahren hatte ich zwischen mehreren eng zusammenstehenden Fußzehen Fußpilz. Doch was ich auch versuchte an Cremes, Sprays und Puder, dieser Pilz verschwand nie ganz. In den letzten Monaten breitete er sich sogar noch weiter aus. Den Tip, es einmal mit einer Grapefruit-Lösung zu probieren, war nur einer von vielen in den letzten Jahren. Doch zu meiner Überraschung habe ich erstmals tatsächlich das Gefühl, daß mein Fußpilz für immer verschwunden ist. Meine Mutter hat meine Strümpfe in den letzten Wochen zusätzlich mit Grapefruitkern-Extrakt gewaschen, vorbeugend, wie sie meinte. Natürlich bin ich froh!"

Dorit K. aus München: „Seit vielen Jahren, ich kann mich gar nicht mehr erinnern wie lange, hatte ich Zahnfleischbluten, und das Zahnfleisch ging über meinen überkronten Schneidezähnen immer mehr zurück. Nichts half. Schließlich schauten bereits die Zahnhälse hervor, und Karies setzten sich fest. Es sah scheußlich aus. Ich traute mich nicht mehr, offen zu lachen, und versuchte, die häßlichen Ränder über meinen Zähnen, so gut es ging, zu verstecken. In langen Sitzungen beim Zahnarzt bekam ich neue Kronen, die die Zahnhälse überdeckten, und das Zahnfleisch wurde geschnitten und genäht. Einige Wochen nach dieser schlimmen Prozedur fing mein Zahnfleisch wieder an zu bluten und wollte nicht aufhören. Sollte das ganze von vorn losgehen? Ich muß sagen, daß es ein großes Glück für mich war, daß ich bald darauf Grapefruitkern-Extrakt kennenlernte. Eine Freundin aus Irland hatte es mir zugeschickt. Ich tat jeden Tag einen Tropfen auf meine Zahnbürste und einige Tropfen ins Zahnputzglas. Die Blutungen hörten fast schlagartig auf und sind seitdem nicht ein einziges Mal wiedergekehrt. Ich habe das Gefühl, daß ich jetzt bis an mein Lebensende offen lachen kann."

Ein Junge aus unserer Nachbarschaft: Vor einigen Wochen suchte uns an einem Sonntag eine Nachbarin hilfesuchend auf. Ihr Sohn, 7 Jahre alt, hatte eine schlimme Infektion hinter dem Ohr. Die Mutter: „Zuerst hatte er wohl nur einen Hautpilz hinter dem Ohr, der schrecklich juckte. Durch das Kratzen wurde daraus eine etwa handtellergroße, eiterige, nässende Infektion." Das Ohr war bereits derart mit der Kopfhaut verklebt, daß es schon ein schmerzhaft-dramatischer Augenblick war, als wir versuchten, Kopfhaut, Haare und Ohr voneinander zu trennen. Normalerweise hätten wir den Jungen schnellstens in eine Klinik gebracht, da wir aber weitab auf dem irischen Land wohnen und außer dem Motorrad kein Transportmittel zur Verfügung stand, entschieden wir uns nach einigen Diskussionen, die ganze Wunde mit Grapefruitkern-Extrakt-Fußpuder zu überdecken, um die nässende Infektion auszutrocknen und um eine erneute Verklebung zu verhindern. Die Mutter am nächsten Tag: „Gott sei Dank, die ganze Wunde ist heute trocken und verkrustet, sie scheint tatsächlich abzuheilen." – Noch vier Tage lang wurde entsprechend nachgepudert, dann kam der Anruf: „Die Sache ist jetzt völlig abgeheilt, es ist wie ein Wunder, nicht einmal eine Narbe ist zurückgeblieben – wie kann ich euch nur danken?"

Paul M. aus Baltimore: „Als Berufstaucher habe ich seit vielen Jahren leichten Fußpilz an den Füßen, doch jetzt hat er sich bis über die Knie ausgebreitet, so daß meine Freundin mich tatsächlich deswegen verlassen wollte. All das Zeug aus der Apotheke war nur „shit", nichts half wirklich. Ich habe jetzt euren Grapefruitkern-Extrakt probiert, jedoch nicht wie empfohlen verdünnt, sondern einfach mehrmals pur eingerieben. Das wirkte super. Könnte ich noch einige Fläschchen davon für meine Kollegen bekommen?"

(Auch wenn wir gern einmal ein Fläschchen Grapefruitkern-Extrakt weitergeben, stammt es immer aus unserem Privatbedarf – und da wir keinen Arztberuf ausüben, sind es natürlich nur ganz persönliche Empfehlungen an Freunde und Bekannte.)

Laura O. von Clear Island: „Mehrmals jährlich, wenn in unserer Gegend eine Darmkrankheit grassierte, war auch ich stets unter den Betroffenen. Seit ich jedoch bei den geringsten Anzeichen einer Darminfektion einige Tropfen Grapefruitkern-Extrakt zu mir nehme, hatte ich keinerlei Beschwerden mehr. Danke Gott!"

Sandy F. aus Cork: „Was ist eine Sängerin ohne Stimme schon wert? Soll ich schon wieder Antibiotika nehmen?" fragte Sandy uns hilfesuchend vor ihrem Konzert. Doch dann gurgelte sie mit einigen Tropfen Grapefruitkern-Extrakt, den wir zum Glück in der Tasche hatten – und das Problem war in kürzester Zeit vergessen. „Es ist ein Wunder, ich fühle mich super, ja, es geht mir jetzt gut – vielen Dank!"

Weitere Möglichkeiten der Anwendung von Grapefruitkern-Extrakt

In der Körperpflege

Beinahe jedes Körperpflegemittel kann seine Aufgabe mit einem kleinen Zusatz von Grapefruitkern-Extrakt noch effektiver vollbringen. Bei der Pflege von Zähnen, Haut und Haaren sorgt der Extrakt für zusätzliche Frische und Reinheit. Er kann uns vor manchen unangenehmen Gerüchen bewahren, zu deren Beseitigung oder Verhinderung oft chemische Mittel eingesetzt werden, die nicht selten die Haut reizen und außerdem über die Poren in den Körper eindringen. Vor allem aber kann er mancher Erkrankung vorbeugen.

Ein Zusatz von Grapefruitkern-Extrakt in flüssiger Seife oder im Duschgel sorgt für eine gründliche Desinfektion der Haut und schützt vor Hautpilz- und Nagelpilzerkrankungen. Im Intimbereich angewandt, kann die antiseptische Wirkung des Extrakts Infektionen vorbeugen und unerwünschte Geruchsbildung verhindern, ohne die empfindlichen Schleimhäute zu reizen. Im Shampoo hilft er gegen Schuppen, juckende Kopfhaut und Ekzeme. Hierzu empfehlen wir die Zugabe von 10 – 20 Tropfen auf 100 ml des jeweiligen Körperpflegemittels. 2 Tropfen des Extrakts, auf die feuchte Zahnbürste gegeben, halten Zähne und Zahnfleisch gesund. Auch ist der Extrakt als wirkungsvolles antiseptisches Mundwasser einsetzbar und sorgt für nachhaltig frischen Atem. Darüber hinaus eignet er sich hervorragend als Zusatz in der Munddusche.

Viele Menschen berichten, daß ihre Schweißfüße in kürzester Zeit, oft schon nach einer einmaligen Anwendung verschwanden. Zu diesem Zweck kann der Extrakt in

verdünnter Form aufgesprüht, eingerieben oder dem Fuß-
bad zugesetzt werden. (Zu all diesen Einsatzbereichen siehe
auch im Kapitel „Grapefruitkern-Extrakt zur äußeren
Anwendung".)

Um den durch Bakterien verursachten Schweißgeruch in
den Achselhöhlen zu verhindern, können wir uns auf einfache Weise ein Deospray selbst herstellen. Dazu füllen wir
eine Tasse Wasser mit 15 – 20 Tropfen Grapefruitkern-Extrakt
in eine leere Sprühflasche. Gut schütteln und unter die Arme
sprühen, und wir sind den lästigen Schweißgeruch auf
natürliche Weise los.

Wer sich seine Körperpflegemittel nicht selbst mit Grapefruitkern-Extrakt anreichern will, kann heute schon auf eine
ganze Reihe fertiger Produkte zurückgreifen. Neben einer recht
großen Anzahl von Mitteln zum Einsatz im Gesundheits- und
Hygienebereich werden immer mehr Kosmetikartikel und
Körperpflegemittel hergestellt, die diesen natürlichen und
überaus wirkungsvollen Extrakt enthalten. So gibt es heute
schon Seifen, Dusch- und Körpergels, Shampoos, Zahnpa-
sten, Hautcremes und -sprays sowie Bade- und Deoprodukte
mit Grapefruitkern-Extrakt.

In den USA konnte eine wahre Euphorie zugunsten von
Grapefruitkern-Extrakt beobachtet werden. Vor allem Bio-
Läden und einige große Biohandelsketten schwenkten auf
Grapefruitkern-Produktreihen um. Trendbeobachter der Wirt-
schaft bewerteten den neuen Extrakt bereits als eine biolo-
gische Marktsensation.

Als wir an diesem Buch arbeiteten, erreichte uns etwa alle
paar Wochen die Nachricht über ein weiteres Körperpflege-
produkt, das auf Grapefruitkern-Extrakt aufbaut. Optimal zu
pflegen und gleichzeitig etwas für die Gesundheit zu tun sind
hier die Leitmotive, verbunden mit dem guten Gefühl, die
Umwelt nicht noch zusätzlich zu belasten, denn Grapefruitkern-Extrakt verhält sich nach allen vorliegenden Untersuchungen höchst umweltfreundlich.

In der Kosmetik

Eine porentiefe Reinigung ist die Voraussetzung für eine gesunde, blühende Haut. Dazu gehört auch, die Haut von unerwünschten Bakterien zu befreien, die Pickel, Pusteln oder Entzündungen hervorrufen können. Eine zunehmende Anzahl von Kosmetikerinnen setzt zu diesem Zweck Grapefruitkern-Extrakt mit viel Erfolg ein.

Die antiseptische Wirkung des Extrakts kann auch bei Akne sehr hilfreich sein. Die handelsüblichen Aknemittel enthalten oft Stoffe, die die Haut angreifen. Auch wenn in der Pubertät die Pickel besonders munter sprießen, kann Grapefruitkern-Extrakt eine höchst willkommene Linderung verschaffen. Nach dem Entfernen von Mitessern und anderen Hautunreinheiten wie auch dem Auszupfen oder der Rasur von unerwünschten Haaren sorgt der Extrakt zusätzlich für eine hervorragende Desinfektion.

Zur gründlichen Reinigung der Gesichtshaut verteilen wir einige Tropfen Grapefruitkern-Extrakt auf den feuchten Händen und massieren damit das angefeuchtete Gesicht (siehe hierzu auch Kapitel „Grapefruitkern-Extrakt zur äußeren Anwendung"). *Den Extrakt jedoch niemals in die Augen bringen.* Im Notfall die Augen mit viel Wasser ausspülen.

Doch läßt sich Grapefruitkern-Extrakt noch auf andere Weise in der Kosmetik einsetzen. Dazu möchten wir eine kleine Begebenheit erzählen.

„Ich habe seit langer Zeit dieses Ekzem im Gesicht und werde es nicht los. Es kommt immer wieder. Wißt ihr nicht ein Mittel dagegen?" Unsere Freundin Gaby, die uns aus Deutschland anrief, klang recht verzweifelt. Wir hatten gerade den Grapefruitkern-Extrakt für uns entdeckt und empfahlen ihr, ihn einmal auszuprobieren. Auf unsere weiteren Fragen hin stellte sich jedoch heraus, daß sie eine selbstgebastelte Naturkosmetik benutzte – mit wunderbaren Ingredienzien und zur Vermeidung von unerwünschter Chemie ohne jegliche Konservierungsstoffe. Sie hatte sich einen großen

Topf voll mischen lassen, der lange reichte. „Der ist ja schon zwei Jahre alt", stellte sie nun leicht beunruhigt fest. Gleich nach unserem Gespräch warf sie den Topf in den Müll und ließ sich eine neue Mischung bereiten, diesmal mit Grapefruitkern-Extrakt zur Haltbarmachung ... und siehe da, das Ekzem verschwand nach kurzer Zeit.

Viele Menschen stellen sich ihre individuellen Kosmetikartikel heute selber her. Immer mehr setzt sich die Meinung durch, daß künstliche Produkte aus der Chemiefabrik nicht auf die Haut gehören. Fernsehsendungen, Lehrgänge, Bücher und Zeitschriftenartikel informieren zum Thema „Naturkosmetik selbst herstellen", und in fast jeder Stadt gibt es ein Geschäft, das die notwendigen Grundstoffe anbietet. Gleichzeitig erlebt die professionelle Biokosmetik einen nie gekannten Boom. Mehr und mehr Großhersteller schließen sich dem Trend an, selbst solche, die früher eher den Kopf darüber schüttelten.

Doch verbirgt sich in der Naturkosmetik ein großer, oft zu wenig beachteter Nachteil: Die Konservierung ist häufig mangelhaft. Wie auch bei manchem selbstgemixten Präparat bildet sich dadurch der ideale Nährboden für Bakterien- und Pilzkulturen. Diese Mikroorganismen können sehr leicht über die Finger in das Produkt gelangen. Auch wenn ein Kosmetikpräparat noch so gute und edle Grundstoffe enthält, kann es durch die versehentliche Einbringung unerwünschter Mikroorganismen in ein gesundheitlich eher nachteiliges Mittel umschlagen.

Solange nicht ein Konservierungsstoff für Keimfreiheit sorgt, herrschen in den meisten Kosmetika günstigste Überlebensbedingungen für ein breites Keimspektrum: ein guter Nährboden, genügend Feuchtigkeit, relative Dunkelheit und genügend Zeit, um sich prächtig zu entwickkeln.

Zur Konservierung wird Grapefruitkern-Extrakt gewöhnlich in einer Konzentration von 0,2 bis 1 % eingesetzt. Er läßt sich problemlos in die wäßrige Phase einarbeiten und im Bedarfsfall auch mit organischen Lösungsmitteln, Butylenglykol und

Alkohol verarbeiten. Der Extrakt sollte immer gut untergemischt werden. Was die Verwendung von Ingredienzien angeht, sind der Phantasie keine Grenzen gesetzt. Alle bisher verwendeten Wirkstoffe können auch weiterhin eingesetzt werden.

Nach der Entdeckung von Grapefruitkern-Extrakt und ersten Berichten über seine Wirksamkeit begriffen Hersteller von Naturkosmetik relativ schnell, was sich ihnen hier bot: Ein natürlicher Extrakt, der sich aufgrund seiner hemmenden Wirkung auf ein breites Spektrum von Bakterien, Pilzen und Viren nicht nur zur Konservierung eignete, sondern zusätzlich überaus pflegende Eigenschaften besaß. So konnte als positiver Nebeneffekt beobachtet werden, daß mit der Anwendung von Kosmetika, die mit Grapefruitkern-Extrakt konserviert waren, gleichzeitig ungeliebte Ekzeme, Hautpilzerkrankungen, Flechten, Ausschläge, Lippenbläschen und andere Hautprobleme wie von selbst verschwanden. Grapefruitkern-Extrakt hält nicht nur die selbsthergestellten Kosmetika gesund, sondern verhilft auch deren Benutzern zu größerer Gesundheit.

In der Babypflege

Die besonderen Eigenschaften des Grapefruitkern-Extrakts machen ihn sowohl für den empfindlichen Organismus unserer jüngsten Erdenbewohner als auch für die zarte Haut eines Babypopos geeignet. So läßt sich dieses Geschenk der Natur auch in der Babypflege auf vielfältige Weise einsetzen.

Viele Babys leiden unter Hefepilzinfektionen im Mund und Windelbereich, gemeinhin als Soor bzw. Windeldermatitis bekannt. Soor zeigt sich als weißlicher Belag im Mund. Als unser Sohn im Babyalter darunter litt, verschrieb uns der Arzt ein Mittel, von dem wir später hörten, daß es als krebserregend verdächtigt wird. Damals wußten wir noch nichts von Grapefruitkern-Extrakt, sonst wäre er zweifellos das Mittel unserer Wahl gewesen.

Im Falle eines Soorbefalls ist eine unschädliche Alternative besonders wünschenswert, da das Mittel direkt in den Mund gegeben wird. Zur Behandlung eine halbe Kapsel des weniger bitteren Pulvers mit einer Tasse Wasser gut verrühren und den Mund – so gut es geht – mit der Lösung auspinseln. Etwas ältere Kinder können mit der Mischung auch gurgeln. Ein eventueller Zusatz von Fruchtsaft kann den bitteren Geschmack weitgehend neutralisieren.

Zur Desinfektion von Saugern und Schnullern 20 Tropfen Grapefruitkern-Extrakt auf 1 Liter Wasser geben und 20 Minuten hineinlegen. Auf diese Weise kann eine Infektion bzw. Neuinfektion auch mit anderen Keimen verhindert werden. Danach gut abspülen. Bitter ist nicht gerade der Lieblingsgeschmack von Babys.

Die meisten Babys werden heute in Plastikwindeln gepackt, die die Pflege zwar enorm erleichtern, aber keine Luft an den Babypopo lassen. Feuchtigkeit, Dunkelheit und Wärme lassen Keime sprießen, besonders den Hefepilz *Candida albicans*, der die sogenannte Windeldermatitis hervorruft. Offenbar reicht auch die größte Saugkraft der Wegwerfwindeln nicht aus, um seine Ausbreitung ganz zu verhindern. Hier haben sich die guten alten Stoffwindeln am besten bewährt.

Mit Grapefruitkern-Extrakt können wir selbst eine hartnäckige Windeldermatitis in den Griff bekommen, wenn auch manchmal etwas Geduld erforderlich ist. Etwa 10 Tropfen auf einen Eierbecher Öl geben und die Haut damit sanft einreiben. Eine Umstellung auf Stoffwindeln ist bis zum Abheilen anzuraten. Auch sollte der Babypopo so viel frische Luft wie möglich bekommen.

Wer waschbare Stoffwindeln benutzt, sollte dem letzten Spülgang routinemäßig 20 Tropfen Grapefruitkern-Extrakt zugeben. Die Pilze sterben allein durch hohe Temperatur nicht immer ab.

Wer sich nicht von den praktischen Plastikwindeln trennen mag, könnte ihr Inneres mit einer dünnen Schicht Grapefruitkern-Puder bestäuben. Wir haben es noch nicht ausprobiert, doch ist anzunehmen, daß sich einer Windeldermatitis auf diese Weise vorbeugen läßt.

Des weiteren können Gegenstände, die das Baby besonders häufig in den Mund nimmt, mit einer Lösung aus 20 Tropfen Grapefruitkern-Extrakt auf 1 Liter Wasser desinfiziert werden. 10 Minuten in der Lösung liegen lassen und an der Luft trocknen. Doch sollten wir auch daran denken, daß eine gewisse Portion Keime „gesund" ist, da das Immunsystem des Babys ein bestimmtes Maß an Training braucht, um sich gut zu entwickeln.

So wünschen wir Euch und Euren Babys viel Glück und innere Zufriedenheit in einer gesunden Haut!

In der Krankenpflege

Unsere Kranken bedürfen besonderer Pflege. Das gilt für die emotionale Zuwendung ebenso wie für die allgemeine Versorgung und Betreuung. So sollte neben anderen Maßnahmen der geschwächte Organismus besonders sorgfältig vor unerwünschten Keimen geschützt werden. Und im Falle einer ansteckenden Krankheit ist auch ein Schutz der Betreuer vor einer Infizierung notwendig.

Wir berichteten an anderer Stelle bereits von dem erfolgreichen Einsatz von Grapefruitkern-Extrakt in Krankenhäusern. Was für Krankenhäuser gilt, gilt ebenso für die Krankenpflege zu Hause. Zur Desinfektion des Krankenzimmers geben wir Grapefruitkern-Extrakt in die diversen Reinigungsmittel. Die Bettwäsche, Kleidung und Handtücher des Kranken werden mit einem Zusatz von 20 Tropfen des Extrakts im letzten Spülgang gewaschen. Auch können die Gegenstände, mit denen der Kranke in Berührung kommt, mit Hilfe von Grapefruitkern-Extrakt desinfiziert werden. Dazu 30 bis 40 Tropfen auf 1 Liter Wasser geben und die Gegenstände einige Minuten hineinlegen. Auch können sie mit der Lösung abgewaschen werden. Wollen wir die Raumluft im Krankenzimmer verbessern, können wir die gleiche Lösung in eine Sprühflasche geben und im Zimmer zerstäuben. In Luftbefeuchtern wie auch in künstlichen Belüftungsanlagen kann der Extrakt als wirksamer Keimhemmer eingesetzt werden.

Betreuungspersonen ist anzuraten, ihre Hände vor und nach dem Kontakt mit dem Kranken mit dem Extrakt zu desinfizieren. Nicht wenige Krankenschwestern und Ärzte leiden unter Ekzemen an den Händen, die durch die scharfen chemischen Desinfektionsmittel hervorgerufen wurden. Der Einsatz von Grapefruitkern-Extrakt zur Desinfektion der Hände könnte diese Erscheinung nicht nur verhindern, sondern auch helfen, bestehende Ekzeme auszuheilen. Zur Desinfizierung einige Tropfen des Extrakts direkt auf die feuchten Hände geben und verreiben.

Grapefruitkern-Extrakt ist auch für diesen Einsatz nicht nur unschädlich, sondern zudem äußerst effektiv. Wir erinnern hier an die an früherer Stelle erwähnte Untersuchung von Dr. J. A. Botine, der eine 100%ig desinfizierende Wirkung des Extrakts gegenüber 98 % der handelsüblichen Mittel und 72 % Effektivität von Alkohol feststellte. So mag auch bald das, was bisher der Tupfer mit Alkohol vor einer Spritze oder dem Einstich einer Akupunkturnadel war, der Tupfer mit Grapefruitkern-Extrakt sein. Auch die bisher eingesetzte chemische pre- und postoperative Hautdesinfektion könnte vorteilhaft durch den Extrakt ersetzt werden. Darüber hinaus könnten Pflaster oder Verbandsmaterialien mit Grapefruitkern-Extrakt beispielsweise mittels eines Sprays vorbehandelt werden.

Für Menschen, die professionell in der Behandlung und Betreuung von Kranken tätig sind, wie Ärzte und Heilpraktiker, Hebammen, Krankenschwestern und Krankenpfleger, Fußpflegerinnen und andere, mögen sich noch viele weitere Möglichkeiten zum sinnvollen Einsatz von Grapefruitkern-Extrakt bieten. Grundsätzlich kann der Extrakt überall dort eingesetzt werden, wo auch bisher auf eine antibakterielle, antiseptische und fungizide Wirkung Wert gelegt wurde.

Als Hilfe im Haushalt

In der ganzen Welt finden sich die meisten Arbeitsplätze im Haushalt. Kein anderer Arbeitsbereich verfügt global gesehen über derart viele Teil- und Vollzeitkräfte. Diese Arbeitskräfte sorgen vor allem für Sauberkeit und Ernährung – für ihre eigene ebenso wie für die der ihnen anvertrauten Menschen. So kommt ein großer Teil unseres körperlichen Wohlbefindens aus dieser Quelle.

Viele Putz- und Reinigungsmittel enthalten desinfizierende Chemikalien. Diese Tatsache spiegelt unser Bedürfnis wieder, unsere häusliche Umgebung nicht nur für das Auge sauber, sondern auch frei von Krankheitserregern zu halten. Wo kleine Kinder leben oder Haustiere Wohnung oder Haus mit uns teilen, ist dies besonders wichtig. Bakterien, Viren, Pilze und Parasiten können über die Schuhe und Kleidung, durch Haustiere, aber auch durch Lebensmittel in unser Haus getragen werden und durch Berührung und Nahrungsaufnahme in unseren Körper gelangen.

Treffen sie dort auf ein intaktes Immunsystem, richten sie in der Regel keinen Schaden an. Doch sind die meisten Menschen heute nicht mehr ausreichend gegen die vielen Eindringlinge gewappnet. Streß, falsche Ernährung, Antibiotika und anderes haben unser Immunsystem geschwächt. So ist Vorsorge tatsächlich anzuraten. Die Chemikalien, die zur Desinfektion eingesetzt werden, sind jedoch nicht nur scharf oder gar ätzend, sondern häufig auch sehr toxisch. Zum Glück schenkt uns die Natur auch in dieser Situation einen kraftvollen, biologischen und gesundheitlich unbedenklichen Helfer: den Extrakt aus dem Kern der Grapefruit. Da er weder toxisch noch ätzend ist, kann er auch in jenen Bereichen eingesetzt werden, in denen eine effektive Desinfektion mittels Chemikalien zu gesundheitlichen Schäden führen oder Materialien angreifen könnte.

So kann Grapefruitkern-Extrakt nahezu bei jedem Reinigungs- bzw. Desinfektionsverfahren eingesetzt werden, beim Geschirrabwaschen per Hand ebenso wie im Geschirrspüler, bei der Flächenreinigung von Möbeln und Fußböden, in der Küche, im Badezimmer oder der Toilette, beim Reinigen der Teppiche und beim Wäschewaschen. Ein breites Spektrum an Bakterien, Viren, Pilzen und mikroskopisch kleinen Parasiten wird durch die Zugabe von 20 – 30 Tropfen flüssigem Grapefruitkern-Extrakt auf eine Schüssel Wasser nachhaltig eliminiert. Auf einen Eimer Wischwasser geben wir ca. 50 Tropfen dieses NaturExtrakts, etwa 15 Tropfen auf eine Sprühflasche, wodurch sich diese wirkungsvolle Substanz im Bedarfsfall auch versprühen läßt. In die Waschmaschine geben wir ca. 20 Tropfen in den letzten Spülgang, ebenso in den Geschirrspüler. Überaus wichtig ist die antiseptische Reinigung von Hack- und Schneidebrettern, vor allem, wenn rohes Fleisch darauf verarbeitet wird, das eine der häufigsten Quellen für die Infizierung mit Parasiten darstellt. Grapefruitkern-Extrakt sollte dort einige Minuten einwirken können, danach abspülen.

Doch nicht nur rohes Fleisch, Geflügel, Fisch und Schalentiere sind Überträger von Krankheitserregern, auch Salate, Gemüse und Früchte können eine große Anzahl von Bakterien, Schimmelpilzen oder Parasiten übertragen. Geben wir 20 Tropfen Grapefruitkern-Extrakt auf einen Liter Wasser und legen die Lebensmittel einige Minuten hinein, werden nicht nur unerwünschte Keime und Parasiten getötet, sondern gleichzeitig die Haltbarkeit der Lebensmittel verlängert. Die Bildung von Fäulnis und den überaus toxischen Schimmelpilzen wird für lange Zeit hinausgezögert. Wir haben unsere köstlichen, aber leider schnell schimmelnden Papayas, die wir im Supermarkt des nächstgelegenen irischen Städtchens nur kistenweise bestellen können und die daher sehr lange halten müssen, auch schon mal mit einigen Tropfen des unverdünnten Extrakts eingerieben. Seitdem war auch die letzte Papaya aus der Kiste nicht mehr angeschimmelt. Die Haltbarmachung von Marmelade kann ebenfalls mit Grapefruitkern-Extrakt versucht werden.

Neben Reinigung und Nahrung gibt es noch einige weitere Bereiche, in denen der Extrakt sinnvoll eingesetzt werden kann. So können wir beispielsweise durch eine Zugabe in **Luftbefeuchtern** und **Luftentfeuchtern, Klimaanlagen** oder **Zimmerspringbrunnen** eine Verkeimung bzw. Veralgung dieser Anlagen verhindern. Einige Tropfen Grapefruitkern-Extrakt im Gießwasser von **Grünpflanzen** beseitigt Schimmel in den Töpfen, das gleiche gilt für **Hydrokulturen.**

Grapefruitkern-Extrakt ist außerdem dank seiner bakterienhemmenden und fungiziden Eigenschaft ein interessanter, natürlicher **Blumenfrischhalter** für Schnittblumen in der Vase. Hierzu wird je nach Größe der Vase eine halbe bis eine Kapsel des Grapefruitkern-Pulvers in das Blumenwasser gegeben und gut verrührt. Der flüssige Extrakt eignet sich hierfür nicht, da er mit Glycerin versetzt ist, das die feinen Versorgungskanäle im Stiel der Blume verschließen kann. Bitte die Blumen vor dem Einstellen in die Vase frisch anschneiden. Die handelsüblichen Blumenfrischhalter enthalten neben Keim- und Algenhemmern zusätzlich Zucker als Nährlösung. Geben wir also noch eine kleine Portion Zucker zu unserer Mischung hinzu, so haben wir ein natürliches Mittel, das unsere Freude an den Blumen sehr verlängern kann.

In Gastronomie und Lebensmittelindustrie

Wer schon einmal in einer Kneipe oder Gastwirtschaft beobachtet hat, wieviele Biergläser in das gleiche Waschbecken wandern, um gleich danach wieder mit Bier gefüllt zu werden, und wer dabei vielleicht noch mißtrauisch seinen biertrinkenden, hustenden Nachbarn zur Rechten und niesenden Nachbarn zur Linken beobachtete, der mag sich im stillen gewünscht haben, daß das Wasser im besagten Spülbecken ein wirkungsvolles Desinfektionsmittel enthalten möge.

Gläser, Besteck und Geschirr, das wie in der Gastronomie von vielen verschiedenen Menschen benutzt wird, ist immer eine potentielle Quelle der Übertragung von Krankheitserregern. Viele Chemikalien können wegen ihrer gesundheitsschädigenden Wirkung zur Desinfektion nicht eingesetzt werden. So lohnt sich der Einsatz von Grapefruitkern-Extrakt hier in besonderem Maße.

Untersuchungen haben immer wieder gezeigt, daß Bierleitungen – vom Faß zum Zapfhahn – eine Brutstätte für unzählige Keimkulturen sind. So wäre auch hier eine regelmäßige Säuberung mit einem Zusatz von Grapefruitkern-Extrakt zu empfehlen.

Weitere Einsatzbereiche von Grapefruitkern-Extrakt in der Gastronomie und im Hotelwesen entsprechen denen im privaten Haushalt. So möchten wir unsere Leser bitten, für weitere Anregungen im Kapitel „Als Hilfe im Haushalt" nachzusehen.

Auch in der Lebensmittel- und Getränkeindustrie gibt es überaus sinnvolle Einsatzmöglichkeiten für Grapefruitkern-Extrakt. Wieviele neue Stoffe und raffiniert ausgeklügelte Vorgehensweisen werden ständig entwickelt, um die Produkte für möglichst lange Zeit lagerfähig zu halten. Aus der Sicht eines Produzenten mag dies recht verständlich erscheinen, kann er doch seine Erzeugnisse nur dann vermarkten, wenn sie frisch und unverdorben erscheinen. Aus dem Blickwinkel einer gesunden und vollwertigen Ernährungsweise jedoch geht der eingeschlagene Weg an den Erfordernissen völlig vorbei. Der Nahrung werden zum Konservieren sowie zur Schönung und leichteren Verarbeitung im Haushalt mehr und mehr Hilfsstoffe zugefügt, während enthaltene Vitalstoffe gleichzeitig entfernt werden.

Dem Auge des Kunden bleiben diese Maßnahmen weitestgehend verborgen. Selbst wenn er sich die Mühe macht, die aufgelisteten Zusatzstoffe zu entziffern, findet er dort oft nur die anzeigepflichtigen Zusätze aufgezählt. Außerdem müssen viele Zusatzstoffe erst bei Überschreitung einer gewissen Menge angegeben werden, und etliche Hersteller umgehen gerade bei bedenklichen Stoffen die Anzeigepflicht, indem sie unter diesem Maß bleiben. Dennoch haben sich viele Menschen an Industrienahrung gewöhnt, ohne sich bewußt zu sein, wie artfremd diese Art der Ernährung im

Grunde genommen ist. Andere jedoch empfinden ein tiefes Unbehagen, wenn sie der zunehmenden Menge an Industrienahrungsmitteln gegenüberstehen.

Grundsätzlich gilt, daß ein Nahrungsmittel soweit wie möglich in seiner naturbelassenen Form verzehrt werden sollte. Doch müssen wir zugeben, daß es auch dann nicht ganz ohne Konservierung geht. Nur wenige Nahrungsmittel stehen uns Sommer wie Winter in frischer Form zur Verfügung. Und wenn wir uns an den reichen Inhaltsstoffen und dem köstlichen Geschmack der Apfelsinen aus Südamerika, der Kiwis aus Neuseeland, der Bananen aus Afrika oder der Ananas aus der Karibik erfreuen wollen, dann müssen wir uns auch fragen, wie die weiten Entfernungen überbrückt werden sollen, ohne daß die Früchte verderben.

In Südamerika wird Grapefruitkern-Extrakt bereits in großem Rahmen zur Haltbarmachung von Obst, Gemüse, Nüssen sowie Fisch und Fleisch eingesetzt. Hierzu wird in der Regel ein Sprühverfahren benutzt. Bei einem Versuch konnte das Leben von zum Verkauf bestimmtem Obst und Gemüse mit Hilfe von Grapefruitkern-Extrakt um das 3- bis 4fache verlängert werden. Schimmel und Fäulnis können durch Grapefruitkern-Extrakt äußerst effektiv verhindert werden, und die Nahrungsmittel überleben auch einen längeren Transportweg ohne Schaden. Gleichzeitig sind die Verbraucher der behandelten Lebensmittel vor der Übertragung von krankheitserregenden Keimen geschützt, die sich vor allem durch weltumspannende Obsttransporte immer mehr ausbreiten.

Genauso könnte in der verarbeitenden Lebensmittelindustrie ein Teil der Konservierungsstoffe durch Grapefruitkern-Extrakt ersetzt werden. Die Belastung unseres Organismus durch artfremde Stoffe würde dadurch zweifellos verringert. Hierzu wäre das Pulver jedoch besser geeignet, da es nur wenig Bitterstoffe enthält und den Geschmack kaum beeinträchtigen dürfte. Die Mengen, die dadurch in unseren Körper gelangen, dürften eher gesundheitsfördernd als schädigend sein. Immerhin müßten wir eine Menge von etwa 1,3 Litern (bei einer Wirkstoffkonzentration von 33 % Extrakt und 80 kg Körpergewicht) zu uns nehmen, um uns zu vergiften.

So könnten wir uns gut vorstellen, daß zukünftig damit geworben wird: „Ausschließlich mit Grapefruitkern-Extrakt konserviert", oder daß gar ein „Grapefruitkern-Biosiegel" vergeben wird, um Kunden aufzuzeigen, daß ein Produkt keinerlei künstliche Konservierungsmittel enthält. Doch ist hier zuvor noch viel Forschungsarbeit zu leisten.

Auch in der Lebensmittelindustrie ist Sauberkeit oberstes Gebot. Verarbeitungsmaschinen und Abfüllgeräte müssen dem erforderlichen Hygienestandard entsprechen. Rückstände der dafür eingesetzten Desinfektionsmittel können in die verarbeiteten bzw. abgefüllten Lebensmittel gelangen. Dies mag nicht immer ohne Schäden für unsere Gesundheit vonstatten gehen.

So fand beispielsweise die Forscherin und Autorin Dr. Hulda Regehr Clark heraus, daß in allen Fällen von Krebs, die sie behandelte, das Lösungsmittel Isopropylalkohol im Körper der Patienten zu finden war. Ihrer Meinung nach ist dieses Mittel maßgeblich an der Entstehung von Krebs und einer Reihe anderer Erkrankungen beteiligt. Andere Lösungsmittel sollen eine ähnliche Rolle bei der Entwicklung weiterer Krankheiten spielen. (Siehe hierzu auch im Kapitel „Grapefruitkern-Extrakt zur inneren Anwendung".) Wir vermuten, daß diese Mittel unter anderem zur Desinfektion der von der Lebensmittelindustrie verwendeten Verarbeitungs- und Abfüllanlagen benutzt werden. Von dort gelangen sie in Getränke und Lebensmittel und weiter in den menschlichen Körper.

Unser Organismus ist durch die vielen artfremden Stoffe, die unserer Nahrung zugesetzt werden, bereits zur Genüge belastet. Diese Last könnte durch den Einsatz eines biologischen Desinfektions- und Reinigungsmittels in der Lebensmittelindustrie bedeutsam verringert werden. Hoffen wir, daß die Verantwortlichen auch diese Idee eines Tages aufgreifen und zum Wohle unzähliger Menschen einsetzen.

In Sauna, Whirlpool und Swimmingpool

Die **Sauna**, vor allem die öffentliche Sauna ist aufgrund ihrer Beschaffenheit und der klimatischen Verhältnisse (Holz, Wärme, Feuchtigkeit, relative Dunkelheit und ständig wechselnde Besucher) eine reichhaltige Brutstätte für Pilz- und Bakterienkulturen. Dies gilt vor allem für die unteren Bereiche des Saunaraumes, wo keine so hohen Temperaturen herrschen. Auf den oberen Sitz- und Liegebänken sorgt die Lufttemperatur zwischen 60 und 95 Grad Celsius für das Absterben der meisten dieser Kulturen. Hinzu kommt, daß der Holzaufbau im Saunainnenraum mit seinen vielen Einzelteilen recht schwierig zu reinigen bzw. zu desinfizieren ist.

Der Einsatz von chemischen Putz- und Hygienemitteln hat mehrere Nachteile. Zum einen können Rückstände die Haut reizen und über die Poren in den Körper gelangen. Zum anderen können die Mittel beim erneuten Anheizen des Saunaraumes verdunsten und schädliche Dämpfe über die Atemluft in die Lungen gelangen. Hier nun bietet der Einsatz von Grapefruitkern-Extrakt mit seiner fungiziden und antibakteriellen Wirkung eine interessante und willkommene Hilfe.

Am einfachsten ist es, Grapefruitkern-Extrakt in Form einer verdünnten Lösung mittels einer Sprühflasche zu versprühen, doch kann der Holzaufbau ebenso gut mit einer Lösung abgewischt werden. Etwa 20 Tropfen des 60%igen Basis-Extrakts (= ca. 660 ppm) auf einen Liter Wasser genügen, um eine durchschlagende Wirkung zu erzielen und nahezu alle bekannten Bakterien, Keime und Pilze zu eliminieren. Dieser Hygieneeinsatz sollte vorzugsweise in der unbeheizten Sauna erfolgen. Der Fußboden kann mit der gleichen Lösung besprüht oder gewischt werden.

Durch den Einsatz von Grapefruitkern-Extrakt anstelle von chemischen Desinfektionsmitteln könnten eventuelle Hautreizungen verhindert werden. Überdies haben Testreihen in den USA gezeigt, daß Grapefruitkern-Extrakt, wenn es beispielsweise als Spray eingeatmet wird, auch langfristig keine schädigende Wirkung auf die Lungen oder den Organismus hat. Wahrscheinlich wäre solch ein Effekt sogar eher gesundheitsförderlich. (Siehe hierzu auch die Angaben im Kapitel: „Wissenschaftliche Daten und Fakten").

Genauso können sich im **Whirlpool**, der **Unterwassermassage**, im **Jacuzzi** oder im **Hot-Tub** vielerlei Pilze, Bakterien und Keime sowie Algen entwickeln. Doch sollten auch hier Chemikalien, die die Haut angreifen oder penetrant riechen, nicht eingesetzt werden. So ist Grapefruitkern-Extrakt wiederum das geeignete Hygienemittel. Seine Konzentration sollte bei 10 – 20 ml des 60%igen Basis-Extrakts pro 100 Liter Wasser liegen (diese Verdünnung entspricht ca. 100 – 200 ppm). Wie aus der Liste der Laboranalysen im Anhang dieses Buches zu ersehen ist, wird mit dieser Konzentration nahezu das gesamte Spektrum an Pilzen, Bakterien und Keimen ausgeschaltet. Dieser Aufwand lohnt sich jedoch eventuell nur in öffentlichen Badeanlagen, wo dasselbe Wasser von vielen Menschen benutzt wird. Doch mag auch mancher gesundheits- und umweltbewußte Mensch, der seine Anlage mit Familienmitgliedern oder Freunden teilt, über eine solch unschädliche und umweltfreundliche Möglichkeit der Desinfektion wie auch Verhinderung von Algen erfreut sein.

Hinzu kommt noch, daß sich Grapefruitkern-Extrakt im Gegensatz zu Chlorpräparaten nicht durch die Einwirkung von UV-Strahlen abbaut. Es steigen keine schädlichen Dämpfe auf, und auch die umgebenden Grünpflanzen werden nicht geschädigt. Für den Menschen ist der Einsatz von Grapefruitkern-Extrakt in Bädern nicht nur unschädlich, sondern darüber hinaus gesundheitsfördernd.

In Südamerika wird Grapefruitkern-Extrakt auch in öffentlichen Schwimmbädern eingesetzt. Da der Extrakt das Wasser leicht trübt, wird in der Regel nur ein Teil des Chlors dadurch ersetzt. Doch sollte jeder Schritt in Richtung größerer Gesundheit und Natürlichkeit willkommen sein.

Öffentliche Bäder sind außerdem als „idealer" Übertragungsort von Fuß- und Nagelpilzen bekannt, die sich auf den Fußböden in den Umkleideräumen, den Duschen und den Toiletten ansiedeln. Auch diese Flächen könnten mit dem hochwirksamen Extrakt der Grapefruitkerne gewischt oder besprüht werden. Einige Spritzer des Extrakts im Wischwasser genügen, um eine Ansteckung wirkungsvoll zu verhindern. Zusätzlich wäre der Einsatz in Fußsprayanlagen zu empfehlen. Die Konzentration sollte für diesen Zweck um einiges höher liegen, um auch behandlungsresistentere Fuß- und Nagelpilze zu erreichen. Wir denken dabei an eine Dosierung von etwa 1 000 ppm.

Da uns die Natur dieses wirksame Mittel im Überfluß anbietet, seien Bade-, Kur- und Krankenhausverwaltungen sowie medizinische Praxen und Gesundheitsinstitute hiermit zum Einsatz dieses umweltverträglichen und patientenfreundlichen Naturproduktes aufgerufen.

Im Dienste der Trinkwasseraufbereitung

Sauberes Trinkwasser ist für uns ebenso lebensnotwendig wie unser „täglich Brot". Für eine zunehmende Anzahl von Menschen bedeutet „sauber" in diesem Zusammenhang heute mehr als Keimfreiheit. Unser Trinkwasser ist mehr und mehr mit Chemikalien belastet. Die meisten gelangen unbeabsichtigt durch die Abwässer von Chemie, Industrie und Landwirtschaft hinein. Doch einige, wie Chlor und manchmal auch Fluor, werden dem Wasser absichtlich beigefügt.

Wir haben an anderer Stelle bereits von den überaus positiven Testergebnissen wie auch dem Projekt in Thailand zur Aufbereitung von Trinkwasser mittels des Extrakts berichtet. Ein Zusatz von 350 Litern des 60%igen Basis-Extrakts (etwa eine Badewanne voll) auf 1 Million Liter Wasser reicht aus, um die Colibakterien, deren Anzahl allgemein als Meßwert für die Reinheit des Trinkwassers gilt, auf 1 pro 100 ml zu reduzieren. 200 Colibakterien pro 100 ml gelten offiziell als akzeptabel. Tatsächlich stellt der Extrakt eine hochwirksame, biologisch sinnvolle und außerdem umweltpolitisch akzeptable Alternative zu dem üblichen Gebrauch von Chlor dar. Im Vordergrund stehen dabei sowohl die überragende Umweltverträglichkeit als auch die gesundheitliche Unbedenklichkeit.

An dieser Stelle möchten wir nun noch einige Gedanken hinzufügen. Der Grapefruitbaum gedeiht nur in warmen Ländern. Durch die klimatischen Verhältnisse ist gerade dort die Keimzahl im Wasser besonders hoch. So wächst in diesem Fall Abhilfe quasi vor der Tür. Viele dieser Länder gehören darüber hinaus zu den armen Staaten und sind zur Aufbereitung ihres Trinkwassers auf die Einfuhr teurer Chemikalien aus den Industrieländern angewiesen. Auch geschieht die Wasserversorgung in den ländlichen Gegenden dieser Staaten häufig aus dem dorfeigenen Brunnen. Da sich auch darin aufgrund der warmen Temperaturen Keime besonders fleißig vermehren, werden nicht selten Menschen und Tiere ganzer Dörfer krank.

Der Einsatz von Grapefruitkern-Extrakt in diesen Ländern bietet gleich mehrere Vorteile. Die Produktion im eigenen Land würde die Kassen von Städten und Gemeinden von den Ausgaben für Chemikalien entlasten.

Außerdem würden durch die Herstellung und Verarbeitung des Extrakts neue Arbeitsplätze geschaffen. Auch das Brunnenwasser in den Dörfern könnte auf preiswerte und biologische Weise entkeimt werden. Dorfgemeinschaften könnten außerdem die beim Verzehr der Grapefruit abfallenden Kerne sammeln und sich ihren Extrakt mit Hilfe einer einfachen Kaffeemühle selbst herstellen. (Siehe dazu das Kapitel „Grapefruitkern-Extrakt selbst herstellen"). Dies alles sind doch höchst bemerkenswerte Perspektiven, nicht wahr?

Für die sogenannten Geberländer eröffnet sich ferner im Rahmen der Entwicklungshilfe eine wunderbare Gelegenheit der effektiven Hilfe zur Selbsthilfe, indem sie die technischen Hilfsmittel und das erforderliche Know-how zur Herstellung von Grapefruitkern-Extrakt zur Verfügung stellen. Wir werden unsererseits den verschiedenen Entwicklungshilfe-Organisationen zu gegebener Zeit die entsprechenden Informationen zukommen lassen.

Wer weitergehende Informationen zur biologischen Wasseraufbereitung mittels Grapefruitkern-Extrakt wünscht, kann sich an Knud Dencker-Jensen, Berater mit großer internationaler Erfahrung, wenden (Anschrift siehe im Anhang unter „Anschriften und Bezugsquellen").

Bei Haustieren

Bei unseren Nachforschungen zu diesem Buch erzählte uns ein irischer Pharmaziehersteller und -importeur, wie er dazu kam, Grapefruitkern-Extrakt mit in sein Programm aufzunehmen: „Ich hatte mir einige Proben des Extrakts bestellt, und als mein Jagdhund eine schlimme Pilzinfektion bekam, nahm ich die Gelegenheit wahr, den Extrakt daran auszuprobieren. Nach zwei Tagen war von dem Pilz keine Spur mehr zu sehen. Der Tierarzt fragte mich erstaunt, was ich mit dem Hund gemacht hätte. Als ich ihm vom Grapefruitkern-Extrakt erzählte, drängte er mich so lange, bis ich ihm alle meine Vorräte an Probepackungen überließ. Leider hatte ich dann selbst nichts mehr und der Nachschub lag in weiter Ferne. Nun habe ich Grapefruitkern-Extrakt in meinem Programm und so auch immer eigenen Nachschub parat."

Nach dieser Erfahrung hatte er mit eigenen Wirkungsnachforschungen begonnen. Als wir vier Wochen später noch einmal mit ihm telefonierten, meinte er: „Ich kann inzwischen mit ziemlicher Sicherheit sagen, daß wir es hier mit dem wohl interessantesten Breitbandtherapeutikum der Zukunft zu tun haben. Mir ist kein anderes vergleichbares Mittel bekannt, auch dem hilfreichen Teebaumöl scheint es in seiner Wirkung noch weit überlegen zu sein."

Die Heilung seines Jagdhundes war einer der Berichte, die wir inzwischen auch immer häufiger über die Anwendungen bei Tieren erhielten. Nun gibt es ja auch keine plausiblen Gründe, warum Grapefruitkern-Extrakt, der beim Menschen mit so viel Erfolg eingesetzt werden kann, nicht auch bei Tieren wirken sollte. Die meisten Säugetiere verfügen über ein recht ähnliches Körper- und Organsystem wie wir Menschen.

Bald bot sich auch uns die Gelegenheit, den Extrakt bei einem Tier zu erproben. Unser Kater Ananda bekam ebenfalls einen hartnäckigen Pilzbefall am Kopf. Wir beobachteten ihn zunächst eine Zeitlang, und als er sich immer weiter ausbreitete, trugen wir 2mal täglich Grapefruitkern-Extrakt auf. Es brauchte einige Zeit, bis der Pilz ganz verschwunden war, doch begannen sich die Symptome quasi mit der ersten Behandlung zu bessern und zurückzuziehen.

Unser Hund Shanty war der nächste Versuchsproband. Nahezu alle Hunde und Katzen leiden unter Darmparasiten und sollten somit einer regelmäßigen Darmkur unterzogen werden. Als wieder einmal eine Kur anstand, zeigte unser Shanty auch prompt alle Symptome eines Wurmbefalls. Wir müssen zugeben, daß wir uns in jener Zeit jedesmal freuten, wenn sich die Gelegenheit zu einem weiteren Test bot.

Nun kannten wir uns mit den Dosierungen bei Tieren noch nicht sonderlich gut aus. So gaben wir ihm eine Woche lang täglich ein Kapsel mit 125 mg Grapefruitkern-Extrakt-Pulver ins Futter, die er ohne Probleme fraß. Als sich einmal eine Kapsel öffnete und das Pulver im Freßnapf landete, schien es ihm genauso gut zu schmecken wie das restliche Futter. Unserem Kater rührten wir probeweise 10 Tropfen des flüssigen Extrakts in sein Lieblingsmahl, und auch bei ihm war der Napf in kürzester Zeit leer. Nach zwei Wochen wurden die Maßnahmen wiederholt und nach vier Wochen noch einmal. Nach allem, was wir sagen können, wirkte der Extrakt mindestens ebenso gut wie die chemischen Wurmmittel.

Heute wissen wir, daß auch die Hälfte der verabreichten Menge für unseren mittelgroßen Hund gereicht hätte, und bei unserem Kater hatten wir noch gravierender überdosiert. Nun führt Grapefruitkern-Extrakt zum Glück erst bei der 4 000fachen Menge der erforderlichen Dosis zu einer akuten Vergiftung. So kann man wohl kaum etwas falsch machen. Wir kennen einige Tierbesitzer, die regelmäßig eine vorbeugende Dosis verabreichen. Sie wäre in etwa halb so hoch anzusetzen wie bei der Behandlung einer Erkrankung.

Wenn Grapefruitkern-Extrakt auch nur schwerlich überdosiert werden kann, so läßt sich dennoch die optimale Tagesdosis im Einsatz bei Tieren ermitteln. Um unseren Lesern die optimale Dosierung zu erleichtern, haben wir Tabellen dafür am Schluß dieses Kapitels zusammengestellt.

Wir hatten diese Tabellen gerade fertig, als uns eine Nachbarin besuchte, die den Extrakt ebenfalls bei ihren Hunden und Katzen eingesetzt hatte. Stolz präsentierten wir ihr unsere neue Arbeit, die sie sich etwas skeptisch ansah. Die Gesichtszüge dieser freundlichen älteren Dame verzogen sich leicht, und wir vernahmen ihren etwas bissigen Kommentar: „Alles Quatsch! Viel zu kompliziert, eure Tabelle. Bei mir bekommt jedes Tier täglich seine Kapsel mit Grapefruitkern-Extrakt, und fertig! Und das funktioniert auch. Seitdem waren die Tiere nicht ein einziges Mal krank. Ich kann doch nicht jedesmal anfangen zu rechnen, wo käme ich denn da hin!"

Nun, in gewissem Sinne hatte sie wohl recht. Da Grapefruitkern-Extrakt erst bei einer 4 000fachen Überdosis der normalen Anwendung zu einer akuten Vergiftung führen kann, zeigten ihre Tiere keinerlei negative Symptome. Wir rechneten später einmal nach und stellten fest, daß sie ihren Katzen (wie auch wir unserem Ananda) etwa die 10- bis 15fache Dosis der benötigten Menge gegeben hatte – ohne Probleme. Aber eine solche Geschichte kann unter Umständen auch eine Kostenseite haben. Wer nur einen Hund oder eine Katze besitzt, bei dem mag der Kostenfaktor eine geringere Rolle spielen – anders ist es jedoch, wenn jemand eine Hundezucht mit 30 Tieren betreibt oder gar 600 Schafe auf seiner Weide grasen.

Ähnlich wie beim Menschen läßt sich Grapefruitkern-Extrakt bei einer weiten Palette von Erkrankungen unserer vierbeinigen Freunde einsetzen. So hat er sich bei Hauterkrankungen, äußeren Verletzungen und Pilzbefall hervorragend bewährt. Auch innere Erkrankungen durch Bakterien, Viren oder Pilze sprechen sehr gut auf den Extrakt an. Da uns ein Tier jedoch nicht sagen kann, was ihm fehlt, kann die Ursache einer inneren Erkrankung nicht immer klar diagnostiziert werden. Doch mag es einen Versuch mit Grapefruitkern-Extrakt in den meisten Fällen wert sein. Oft klingen die Symptome überraschend schnell ab.

Aus den Erfahrungen vieler Tierbesitzer heraus empfehlen wir folgende Behandlungen bei den einzelnen Erkrankungen:

Bei **inneren Erkrankungen** durch Parasiten, Bakterien oder Pilze die in der Liste aufgeführte Dosis einmal am Tag ins

Futter geben. Frißt das Tier nichts mehr, können wir es mit dem weniger bitteren Pulver im Trinkwasser versuchen.

Hautpilze oder **bakterielle Erkrankungen der Haut** können mit einer Lösung eingesprüht werden. Dazu 30 – 40 Tropfen auf 1 Liter Wasser geben und in eine Sprühflasche füllen. Bitte darauf achten, daß nichts in die Augen des Tieres kommt. Auch kann der Extrakt dem Shampoo beigegeben werden (je nach Größe des Tieres ca. 10 – 40 Tropfen). Das Fell gründlich einshampoonieren und einige Minuten einwirken lassen. Den Vorgang nach etwa 3 Tagen wiederholen. Bei kleineren Flächen können in hartnäckigen Fällen auch 2mal täglich einige Tropfen Grapefruitkern-Extrakt unverdünnt oder mit ein wenig Glycerin vermischt direkt aufgetragen werden.

Bei **äußeren Verletzungen** kann Grapefruitkern-Extrakt zur Desinfizierung der Wunde eingesetzt werden. Hierzu am besten das unter „Hautpilze" beschriebene Spray benutzen. Bei nässenden Wunden hat sich Grapefruitkern-Extrakt-Puder (bisher nur als „Grapefruitkern-Fußpuder" im Handel) bewährt. Leidet das Tier unter einer Pilzerkrankung im Maul, verdünnten Grapefruitkern-Extrakt (20 – 30 Tropfen auf 1 Liter Wasser) mittels einer Sprühflasche direkt ins Maul spritzen – gern mag dies jedoch kein Tier.

Bei erkrankten **Vögeln** würden wir versuchen, eine sehr geringe Menge flüssigen Grapefruitkern-Extrakt in das Trinkwasser zu geben (gut umrühren) oder ein wenig Extrakt-Pulver unter die Körner zu streuen. Auch Vögel leiden häufig unter inneren Parasiten, die sich so auf einfache Weise beseitigen lassen.

Fische im Aquarium bekommen einen Zusatz von flüssigem Grapefruitkern-Extrakt ins Wasser. Gut verquirlen. Mit 5 Tropfen auf 1 Liter Wasser beginnen und langsam steigern. Der Algenbefall, beispielsweise an den Glaswänden, sollte dabei abnehmen.

Wer Grapefruitkern-Extrakt-Fertigprodukte verwendet, sollte immer auch die Hinweise und Empfehlungen auf der Verpackung berücksichtigen. Im Zweifelsfalle den erfahrenen Tierarzt oder Tierheilpraktiker zu Rate ziehen.

Darüber hinaus läßt sich Grapefruitkern-Extrakt vortrefflich zur Desinfizierung von Käfigen einsetzen. Sie können ausgesprüht oder naß gewischt werden. Dazu 20 bis 30 Tropfen Grapefruitkern-Extrakt auf eine Schüssel Wasser geben. Auch Futtertröge und -näpfe sowie die Schlafplätze von Hunden und Katzen können mit dieser Lösung desinfiziert werden. Zum Waschen von Korbeinlagen, Hundedecken usw. 20 Tropfen des Extrakts in den letzten Spülgang geben.

Bisher sind uns keine negativen Reaktionen durch diesen Naturextrakt im Einsatz bei Tieren bekannt geworden. Wer mit eigenen Versuchen gute Erfolge erzielt und seine Erfahrungen zum Wohle vieler Tiere mit anderen teilen möchte, den bitten wir, seine Ergebnisse in den einschlägigen Publikationen oder beim Tierschutzverein bekannt zu machen – oder sich auch zwecks Anregung zu weiterer Erforschung, Weiterverbreitung oder Veröffentlichung beim „**Grapefruitkern-Forum**" (Adresse siehe „Aufruf zu internationaler Mitarbeit") zu melden!

Als Helfer in der landwirtschaftlichen Tierhaltung

In vielen landwirtschaftlichen Betrieben bekommen die Tiere heute Antibiotika mit dem Futter verabreicht oder auch direkt ins Maul gespritzt, um krankheitsbedingte Ausfälle so weit wie möglich zu verringern. Auch Mittel gegen Parasiten sind an der Tagesordnung. Tatsächlich bieten die unnatürlichen Bedingungen der Tierhaltung der Übertragung von Krankheiten einen enorm guten Nährboden. Oft werden viele Tiere auf engem Raum gehalten. Hühner, die im Stall leben, picken nach Körnern, an denen Kotreste von den anderen Hühnern kleben können. Haben sie freien Auslauf, trinken sie zudem kotdurchsetztes Regenwasser, das sich in den kleinen Vertiefungen der Erde sammelt. Auf den Weiden fressen die Tiere Gras, das Kotreste von anderen Tieren enthält.

Hier bietet der Einsatz von Grapefruitkern-Extrakt viele Vorteile. Zum einen treten keine schädigenden Nebenwirkungen auf. So bleibt beispielsweise die Darmflora der Tiere intakt, die durch Antibiotika geschädigt werden kann. Dadurch wird ein wichtiger Bereich der natürlichen Abwehr erhalten. Das Immunsystem der Tiere wird nicht geschwächt und der Organismus der Tiere nicht zusätzlich durch Chemikalien belastet, wie sie in den meisten Wurmmitteln enthalten sind. Durch all diese Punkte wird die Chance der Tiere, auf natürliche Weise gesund zu bleiben, enorm erhöht. Sowohl Züchter und Mäster als auch Verbraucher haben Interesse an gesunden und vitalen Tieren. Die Tatsache, daß sich keine Rückstände im Fleisch der Tiere ablagern, ist ein weiterer willkommener Effekt. Und als Tüpfelchen auf dem „i" gelangen auch weniger Chemikalien in den Kreislauf unserer Umwelt.

Wir erhielten viele überaus positive und begeisterte Erfahrungsberichte über den Einsatz von Grapefruitkern-Extrakt in der landwirtschaftlichen Tierhaltung. Schweine, Kühe, Pferde und Hühner profitieren ebenso von seiner antibakteriellen, antiviralen, funziden und antiparasitären Wirkung.

Aufgrund durchgeführter Labortests bestätigt das *US Department of Agriculture* in Greenport, New York, am 7. September 1982 in einem Testbericht, daß der Grapefruitkern-Extrakt „Citricidal®" in einer Verdünnung von 1 : 10 innerhalb von 2 Minuten voll wirksam gegen die Erreger der gefürchteten **Maul- und Klauenseuche** (MKS-Virus) sowie der **Afrikanischen Schweinepest** (ASF-Virus) wirkt. Der Erreger von **Schweinerotlauf** (Erysipeloid) ließen sich bereits in einer Verdünnung von 1 : 100 innerhalb von 2 Minuten eliminieren. Da Grapefruitkern-Extrakt ein reines Naturprodukt ist und sich nicht unerwünscht im Gewebe einlagert, unterliegt seine Anwendung keinen einschränkenden Vorschriften, wie dies beispielsweise bei der Verabreichung von Antibiotika oder anderer pharmazeutischer Medikamente der Fall ist. Auswirkungen wie eine vermindernde Fleischqualität wurden nicht beobachtet.

Grapefruitkern-Extrakt läßt sich sehr einfach als Pulver dem Futter untermischen oder in flüssiger Form dem Trinkwasser zusetzen. Die Tiere nehmen es vorbehaltlos auf. Höhere Dosierungen, beispielsweise bei massivem Wurmbefall, können auch direkt ins Maul gespritzt werden. Der Dosierungsplan am Ende dieses Kapitels gilt praktisch für alle Tiergattungen in der Landwirtschaft oder wo immer Tiere gehalten werden. So könnte beispielsweise auch im Zoo oder im Zirkus Grapefruitkern-Extrakt mit viel Erfolg eingesetzt werden. Bei akuten Erkrankungen oder regelrechten Stallseuchen sollte die angegebene Dosis verdoppelt werden.

Für die *äußeren Erkrankungen* gelten die gleichen Empfehlungen wie bei den Haustieren. Siehe dazu das vorausgegangene Kapitel. Eine zusätzliche, interessante Möglichkeit zum Einsatz von Grapefruitkern-Extrakt sind **Huferkrankungen** wie z. B. die **Faulhinke (Panaritium)**. Besonders in der feuchten oder nassen Jahreszeit leiden Schafe, Ziegen, Rinder, Pferde und Esel unter dieser teilweise recht schlimmen Erscheinung. Hier dürfte Grapefruitkern-Extrakt dank seiner antiseptischen und fungiziden Eigenschaft einen durchschlagenden Erfolg erzielen. Am günstigsten ist es, die Tiere dazu durch ein Becken zu leiten, das eine ausreichende Menge des Extrakts in möglichst geringer Verdünnung enthält. Beim Hindurchschreiten werden die Klauen der Tiere auf optimale Weise mit dem Extrakt getränkt. Eine eventuelle Hufbeschneidung sollte nach Möglichkeit vorher stattfinden.

Beim Einsatz von Grapefruitkern-Extrakt-Fertigprodukten zur inneren und äußeren Anwendung bitte immer auch die Hinweise und Empfehlungen auf der Packung berücksichtigen.

Meldepflichtige Stallseuchen bleiben selbstverständlich auch bei Verwendung von Grapefruitkern-Extrakt anzeigepflichtig. Auch ersetzt der Extrakt nicht automatisch Rat und Tat des Tierarztes oder des Tierheilpraktikers – aber er ersetzt mit Gewißheit eine große Menge zum Teil extrem schädigender Chemikalien und Umweltgifte, die weder in den Organismus der Tiere noch in den Biokreislauf der Natur gehören.

Im Laufe unserer Recherchen zum Thema dieses Buches stießen wir wiederum auf den landwirtschaftlichen Berater Knud Dencker-Jensen (mit großer Eigenerfahrung im Einsatz von Grapefruitkern-Extrakt „CitriSan®" im biologisch-dynamischen Landbau).

Er berät Landwirte bei der Umstellung auf biologisch-dynamischen Landbau und ist bereit, seinen großen Erfahrungsschatz über den Einsatz von Grapefruitkern-Extrakt in der Landwirtschaft zu teilen.

Es sollte jedoch auch nicht verschwiegen werden, daß die jüngsten Erfolge in der Tierhaltung bei biologisch-dynamisch arbeitenden Landwirten nicht allein auf den Einsatz von Grapefruitkern-Extrakt zurückzuführen sind. Die artgerechtere Haltung der Tiere sowie die natürlichere Ernährung gegenüber der herkömmlichen landwirtschaftlichen Tierhaltung spielen eine ebenso große Rolle. Auch hier werden Nahrungsergänzungen zugefüttert, doch bestehen sie aus so wohltuenden und aromatischen Substanzen wie Brennesseln, Fenchel, Geisstaude, Birkenblätter, Eschenblätter, Fichtennadeln, Haselblätter, Lindenblätter, Weidenblätter, Liebstöckel, Wermut, Calendulablüten, Dill, Kamille, Kerbel, Koriander, Kümmel, Majoran, Melisse, Pfefferminze, Salbei, Schafgarbenblüten, Thymian, Ysop, Knoblauch und Korallenkalk.

Neben der Behandlung und Vorbeugung von inneren und äußeren Erkrankungen findet Grapefruitkern-Extrakt in der landwirtschaftlichen Tierhaltung noch einen weiteren sinnvollen Einsatzbereich. So läßt er sich auch vortrefflich zur ungiftigen **Stallhygiene** einsetzen, denn was innen wirkt, wirkt auch außen. Und was sogar in Krankenhäusern mit Erfolg verwendet wird, kann in Ställen nicht weniger wert sein. In früheren Zeiten wurden Stallwände zur Desinfektion einmal im Jahr gekalkt. Heute werden zu diesem Zweck in der Regel Chemikalien eingesetzt, die nicht selten gesundheitlich bedenklich sind. Versprüht oder im Wischwasser eingesetzt, sorgt Grapefruitkern-Extrakt für eine keimfreie Umgebung. Auch in Hygienebecken am Stalleingang, z. B. bei Besamungsstationen oder Zuchtbetrieben, vollbringt der Extrakt seine vortreffliche, antibakterielle Wirkung, ohne daß auch nur ein Quentchen Gift an Schuhen oder Hufen hängenbleibt.

Melkanlagen können mit Grapefruitkern-Extrakt genauso wirkungsvoll desinfiziert werden. Da immer geringe Spuren des eingesetzten Desinfektionsmittels in den Rohrleitungen

und Kesseln verbleibt, ist der Einsatz eines ungiftigen Natur-
mittels hier besonders wünschenswert. Zur gründlichen
Desinfektion ist eine Konzentration von 5 ml flüssigem Grapefruitkern-Extrakt auf 10 Liter Wasser zu empfehlen.

Hier nun eine Liste zur Erleichterung der Dosierung bei
der inneren Anwendung bei Tieren. Als Richtwert gilt: pro
kg Körpergewicht sollten 0,5 Tropfen flüssiger Grapefruitkern-Extrakt oder 5 mg pulverisierter Grapefruitkern-Extrakt
verabreicht werden. In der Praxis bedeutet das:

**Die therapeutisch optimale Tagesdosis von <u>flüssigem
Grapefruitkern-Extrakt</u> (mit 33 % Citricidal bzw. 20 % Wirkstoffgehalt) und <u>pulverisiertem Grapefruitkern-Extrakt</u> (mit
50 % Wirkstoffgehalt) für Tiere mit bakteriell-, viral-, para-
sitär- oder pilzbedingten Erkrankungen bzw. bei Störungen
im Verdauungstrakt wäre:**

Körpergewicht	Grapefruitkern-Extrakt	
	flüssig	**pulverisiert**
1 kg	ca. 0,5 Tropfen	ca. 5 mg
2 kg	ca. 1 Tropfen	ca. 10 mg
5 kg	ca. 2,5 Tropfen	ca. 25 mg
10 kg	ca. 5 Tropfen	ca. 50 mg
20 kg	ca. 10 Tropfen	ca. 100 mg
30 kg	ca. 15 Tropfen	ca. 150 mg
40 kg	ca. 20 Tropfen	ca. 200 mg
50 kg	ca. 25 Tropfen	ca. 250 mg
60 kg	ca. 1 ml = ca. 30 Tropfen	ca. 300 mg
70 kg	ca. 1,2 ml = ca. 35 Tropfen	ca. 350 mg
80 kg	ca. 1,3 ml = ca. 40 Tropfen	ca. 400 mg
90 kg	ca. 1,5 ml = ca. 45 Tropfen	ca. 450 mg
100 kg	ca. 1,7 ml = ca. 50 Tropfen	ca. 500 mg
150 kg	ca. 2,5 ml = ca. 75 Tropfen	ca. 750 mg
200 kg	ca. 3,3 ml = ca. 100 Tropfen	ca. 1 g
250 kg	ca. 4,2 ml = ca. 125 Tropfen	ca. 1,25 g
300 kg	ca. 5,8 ml = ca. 150 Tropfen	ca. 1,50 g
usw.		

Im Falle einer akuten Infektion mag es notwendig sein, die angegebene Tagesdosis zu erhöhen. Bei Grapefruitkern-Extrakt-Fertigprodukten sollten immer auch die Angaben auf der Packung beachtet werden.

Im Einsatz bei Pflanzen

Eines Morgens schien die Sonne in unser Wohnzimmer, und ein Strahl fiel direkt auf eine unserer Pflanzen, die zu unseren Sorgenkindern gehörte. Eine große Anzahl Läuse fraß an ihr und hatte sich bisher nie auf Dauer vertreiben lassen. War dies nicht wie eine Einladung für einen weiteren Versuch mit Grapefruitkern-Extrakt? Wir hatten bereits den Schimmel auf der Erde einiger anderer Topfpflanzen erfolgreich vertrieben. Mit ein paar Tropfen Grapefruitkern-Extrakt im Gießwasser hatten wir die Situation bald unter Kontrolle gehabt. Aber Blattläuse?

Ein Lexikon belehrte uns, daß besagte Läuse **Schildläuse** genannt wurden. Warum sie so hartnäckig waren, sagte das Buch nicht. Vier verschiedene im Handel befindliche Erzeugnisse und zwei Hausmittel hatten in den letzten drei Jahren jeweils nur kurzzeitige Abhilfe geschaffen. Die Insekten waren nach einigen Tagen oder Wochen trotz produktgemäßer Anwendung immer wieder aufgetaucht und vermehrten sich erneut. Unser Versuch mit Grapefruitkern-Extrakt an jenem Morgen brachte überraschenderweise endlich den gewünschten Erfolg. Wir benutzten eine handelsübliche Sprühflasche. Auf einen halben Liter lauwarmes Wasser nahmen wir ca. 30 Tropfen flüssigen Extrakt. Unser Tip: Gut umrühren oder kräftig verschütteln, damit sich der Extrakt gut im Wasser verteilt! An zwei aufeinanderfolgenden Tagen die Pflanzen von allen Seiten (auch auf den Blattunterseiten) tropfnaß einsprühen und den Vorgang nach zwei Wochen wiederholen. Bei uns sind die lästigen Viecher bis heute nicht zurückgekehrt.

Auch bei einigen weiteren Plagegeistern zeigte der Einsatz von Grapefruitkern-Extrakt unerwarteten Erfolg. Eines

Tages wurden wir von einer Ameiseninvasion im Haus überrascht, ein anderes Mal besuchte uns nachts ein ganzer Schwarm Kleinmücken im Schlafzimmer. Sogleich kam unsere Sprühflasche wieder zum Einsatz. Es ist uns bis heute nicht ganz klar, warum der Extrakt auch hier seine Wirkung so nachhaltig entfaltete – im Gegensatz zu unserem Sohn Ramilan, der unsere Versuche interessiert beobachtete und entsprechend kommentierte: „Bodo, das ist doch ganz klar, Grapefruit brennt denen natürlich in den Augen und schmeckt ja auch so bitter, da machen sie sich lieber davon!" Und wer weiß, vielleicht hat er am Ende sogar recht.

Bevor wir eine Schädlingsbekämpfung in größerem Ausmaß in Angriff nehmen, sollten wir jedoch einmal innehalten und daran denken, daß auch jedem sogenannten Schädling seine ganz spezifische Aufgabe im Zusammenspiel der Kräfte der Natur zukommt. Gewöhnlich wird er erst dann zum Problem, wenn seine Anzahl überhandnimmt. Dies wiederum ist häufig ein Zeichen dafür, daß die Kräfte der Natur aus dem Gleichgewicht geraten sind, und wir sollten uns fragen, warum dies geschah. Wer jedoch andererseits schon einmal fassungslos vor seinen völlig verschimmelten Tomatenpflanzen stand oder aus seinem Acker nur verrottete Kartoffeln barg, der hat zweifellos versucht, hier einzugreifen – und wenn er es überlegt tat und entsprechende Möglichkeiten zur Verfügung standen, setzte er unschädliche, biologische Mittel zur Schädlingsbekämpfung ein. Grapefruitkern-Extrakt ist ein solches Biomittel: von größtmöglicher Wirkungsbreite, leicht zu handhaben, ökologisch verträglich und ungiftig.

Nun gibt es in der Natur eine ungeheure Vielzahl kleiner und winziger Organismen, die an unseren Pflanzen Schaden anrichten können – Winzer, Obstbauern, Landwirte, Gärtner und Tierhalter können ein Lied davon singen. Der allgemeine Trend geht heute dahin, hier möglichst sanft einzugreifen, ohne immer gleich die Gesamtheit der Klein- und Kleinstlebewesen über und unter der Erde einer Plantage auszurotten.

Um in der Schädlingsbekämpfung tatsächlich sinnvoll vorzugehen, gehört das Wissen um die biologischen Lebenskreisläufe der einzelnen Insekten, Bakterien- und Pilzkulturen dazu. Auf der Grundlage dieses Wissens könnten wir den Einsatz von Schädlingsbekämpfungsmitteln auf ein Minimum reduzieren. Wir könnten die Mittel sehr gezielt und damit äußerst effektiv einsetzen und gleichzeitig eine Menge Zeit und Geld sparen. Wer aber weiß schon, daß z. B. bei der Erdbeer-Fruchtfäule (auch Grauschimmel genannt) bereits vom Blühbeginn bis zum Anfang der zweiten Fruchtreife 2mal im Abstand von 14 Tagen gespritzt werden müßte? Oder daß gegen die Tomatenstengelfäule eine Saatgutbeizung erfolgen sollte? Allein für unsere Breitengrade wären die Lebens- und Fortpflanzungsmerkmale mit ihren ernährungs-, entwicklungs- und überwinterungsspezifischen Eigenheiten von 140 sogenannten Schädlingen zu studieren.

Bei einer großen Anzahl von Pflanzenkrankheiten wäre Grapefruitkern-Extrakt eine diskutable, biologisch sinnvolle Alternative zu herkömmlichen Präparaten. Über die Bekämpfung von Blattläusen und ähnlichen Schädlingen können wir bisher nur von eigenen erfolgreichen Versuchen berichten. Doch hat sich der Extrakt bei Fäulnis- und Pilzbefall bereits in größerem Stil hervorragend bewährt. So hörten wir von sehr erfolgreichen Spritzungen bei Kartoffeln, Lauch und Möhren.

Eine riesige Anzahl von Pflanzenkrankheiten wird allein schon durch Fäulniserreger und Pilze hervorgerufen. Ob Kupferbrand bei Hopfen, Kragenfäule bei Bäumen, Kohlmehltau im Saatbeet, Kartoffelkrautfäule, Gurkenkrätze, Birnenschorf, Salatfäule, Sellerieblattfleckenkrankheit, Spinatmehltau, Brennfleckenkrankheit bei Bohnen und Erbsen, Schneeschimmel bei Roggen und Weizen, Weizensteinbrand, Herz- oder Trockenfäule bei Rüben, Wildfeuer bei Tabak, Obstbaumkrebs, Pfirsichkräuselkrankheit, Blattfallkrankheit bei Johannis- und Stachelbeeren usw. – immer wäre Grapefruitkern-Extrakt eine sinnvolle Möglichkeit der Schädlingsbekämpfung. Wenn wir dazu noch die erwähnten Lebenskreisläufe in Betracht ziehen und gezielt vorgehen, hätten wir eine Schädlingsbekämpfung, wie sie idealer kaum sein könnte. Allein zu diesem Thema wäre wohl bereits ein dickes Buch zu füllen. Doch ist es vielleicht nur eine Frage der Zeit, wann ein hilfreicher Leitfaden veröffentlicht wird, der uns sagt, wie, wann und warum dieser Pilz oder jene Erkrankung mittels Grapefruitkern-Extrakt in den Griff zu bekommen ist.

In der Zwischenzeit wird die Industrie sicherlich schon bald spezielle, leicht zu handhabende Präparate unter Verwendung von Grapefruitkern-Extrakt herstellen und anbieten, die auch für einen großflächigen Einsatz im Land-, Obst-, Weinund Gartenbau geeignet sind. Die gelegentliche Anfrage von seiten zukünftiger Anwender an die Forscher und Hersteller mag dazu beitragen, diesbezügliche Bemühungen voranzutreiben. Der Anstoß hierzu wird gewiß von der biologischbzw. biologisch-dynamisch arbeitenden Landwirtschaft kommen.

Gerade als wir an diesem Thema schrieben, bekamen wir eine Anfrage von deutschen Umweltschützern, die an einem Versuch arbeiteten, mittels Grapefruitkern-Extrakt dem in Europa inzwischen sehr verbreiteten Ulmensterben zu Leibe zu rücken. Biologen haben erkannt, daß ein Pilz ursächlich am Krankheitsverlauf mitbeteiligt ist. So dürften die Chancen für einen Erfolg recht gut stehen. Leider ist es noch zu früh, um von Ergebnissen berichten zu können. Aber warum nicht ein solches Experiment wagen? Eventuell können wir in nicht allzu langer Zeit eine weitere gute Nachricht verbreiten.

Experimentelle Versuche und praktische Erfolge mit dem Einsatz von Grapefruitkern-Extrakt bei Pflanzen bitten wir, in den einschlägigen Publikationen bekanntzumachen oder auch zur weiteren Erforschung, Weiterverbreitung oder Veröffentlichung beim „**Grapefruitkern-Forum**" zu melden (Adresse siehe „Aufruf zu internationaler Mitarbeit")!

Beim Einsatz entsprechender Fertigprodukte bitte die jeweils angegebenen Dosierungen und Verfahren beachten.

Gebräuchliche Meßwerte dieses Buches sind in der Tabelle auf Seite 139 zu finden.

Grapefruitkern-Extrakt selbst herstellen

Es war an einem Novembertag des Jahres 1995, als ein gewaltiger Orkan über die irische Südwestküste hinwegbrauste. Da wir direkt an der Atlantikküste leben, trifft uns solch ein Naturereignis sozusagen immer aus erster Hand. Die Stromversorgung, Fax und Telefon waren schon kurz nach Beginn dieses Sturmes unterbrochen – und damit war auch die Arbeit am Computer erst einmal auf Eis gelegt. So saßen wir zusammengerückt am wärmenden Kaminfeuer und sprachen über das Thema, das uns nun schon seit Monaten beschäftigte: Grapefruitkern-Extrakt. Plötzlich fiel uns auf, daß wir vor wenigen Tagen unser letztes Fläschchen mit dem Extrakt aus der Hand gegeben hatten, an einen deutschen Fotografen, der uns an unserer Bucht besucht hatte. In dieser Situation fragte Shalila beiläufig: „Meinst du, wir könnten Grapefruitkern-Extrakt auch selbst herstellen?" – „Laß es uns probieren", antwortete Bodo, denn Grapefruits hatten wir in großer Anzahl im Haus.

So gab es zuerst einmal einen köstlichen Grapefruitsaft, und fein säuberlich wurden die Kerne herausgelesen. Zunächst versuchten wir, die Kerne irgendwie auszupressen, was sich einfacher anhört, als es getan ist. Was haben wir nicht alles versucht – in der Küche, der Werkstatt und im Gartenhaus. Alles, was wir erreichten, war eine breitangelegte Ferkelei, wenn wir mit dem Hammer oder anderen Werkzeugen versuchte, den Inhalt aus den glitschigen Kernen herauszupressen. Nur unser Söhnchen Ramilan hatte einen Riesenspaß dabei, vor allem wenn die Kerne in alle Richtungen spritzten und Vater ärgerlich vor sich hinbrummte. Auch der Versuch, die Kerne in einem Mörser zu zerstampfen, scheiterte kläglich.

Zweiter Versuch: Uns kam eine bessere Idee. Warum die Grapefruitkerne nicht einfach zermahlen? Zwar konnten wir unsere elektrische Getreidemühle wegen des Stromausfalles nicht benutzen, doch im Schrank hatten wir noch eine ältere Handgetreidemühle, die sollte es auch tun. Doch schnell wurde klar, daß die frischen Kerne die Mühle völlig verklebten und sich an der Mahlfläche festsetzten. Bereits nach einigen Umdrehungen versagte sie ihren Dienst – und das gleiche wäre natürlich auch mit unserer großen Getreidemühle passiert.

Dritter Versuch: Uns wurde klar, daß die Kerne vor dem Mahlen erst getrocknet werden mußten. Darauf hätten wir auch gleich kommen können. Also wurden die Kerne auf ein Blech gelegt, das wir so nah wie möglich ans Kaminfeuer stellten. Auch der Backofen war ja wegen des Stromausfalls nicht zu gebrauchen. Nun mußten wir aufpassen, daß die Kerne auch wiederum nicht zu heiß wurden, denn wir wollten ja keine gerösteten Grapefruitkerne haben. Sie sollten nur gut austrocknen. Unsere späteren Versuche im (wieder funktionierenden) Backofen zeigten, daß eine Temperatur um 40 – 50 Grad Celsius ausreicht. Auch eine Darre wäre zum Austrocknen geeignet. Und natürlich könnte bei entsprechendem Wetter auch die Sonne diese Aufgabe übernehmen.

Die Grapefruitkerne waren nach dem Trocknen zusammengeschrumpft und fast so leicht wie Papier. Da unsere Mühle verklebt war und wir sie bei den mangelnden Lichtverhältnissen nicht säubern wollten, mußten wir die weitere Verarbeitung verschieben. Hier das Resultat unserer später fortgesetzten Versuche.

Wenn die Kerne ausgemahlen sind, finden wir zwei unterschiedliche Bestandteile vor: ein feines Mehl, bestehend aus den zermahlenen Innenkernen, und die Hüllen der Kerne, die so ähnlich aussehen wie die Spelzen beim Getreidemahlen. Um beide Bestandteile zu trennen, schüttelten wir alles durch ein engmaschiges Haushaltssieb und erhielten so das feine, hochbegehrte Grapefruitkern-Pulver. Wir waren recht stolz auf unseren gelungenen Versuch. Später verglichen wir Farbe und Geschmack unseres Pulvers noch mit dem aus den fertigen Kapseln. Wir konnten keinen Unterschied entdecken.

Im Grunde genommen ist das Verfahren recht einfach, wenn es auch seine Zeit braucht. Doch woher die vielen Grapefruitkerne nehmen, die man braucht, um auch nur ein kleines Fläschchen zu füllen. Falls wir die Grapefruitfrüchte kaufen müssen, haben wir eher einen finanziellen Verlust. Vielleicht könnten wir alle Freunde und Verwandten dazu anregen, ab sofort ihre Grapefruitkerne für uns zu sammeln. Eventuell ist auch eine Saftbar auszumachen, wo die Kerne ansonsten in den Abfall wandern würden.

Möglicherweise bekommen wir eine genügend große Anzahl zusammen. Doch Vorsicht, bei längerer Aufbewahrung von feuchten Kernen kann es vorkommen, daß die Außenhüllen des Kerns Schimmel ansetzten, besonders wenn die Kerne dicht zusammengedrängt in einem großen Haufen oder in einem Behälter ohne ausreichende Luftzirkulation zusammenliegen. Dieses Phänomen zeigt jedoch auch, daß der fungizide Wirkstoff im Inneren des Grapefruitkerns steckt und nicht in der Außenhülle.

Wer es sich ganz leicht machen will, kann die geschälten Kerne auch einfach kauen, wir hörten von verschiedenen erfolgreichen Eigenversuchen dieser Art. Um den Wirkstoff ausreichend zu erschließen, müssen die Kerne jedoch äußerst gründlich gekaut werden. Uns wurden sie dabei zu bitter, und so würden wir weiterhin das Pulver bevorzugen.

Bei der Dosierung unseres Grapefruitkern-Pulvers gelten die gleichen Richtwerte wie für die gekauften Produkte. Eine Messerspitze voll entspricht etwa dem Inhalt einer Kapsel, wie sie im Handel angeboten werden. Vielleicht sollten wir uns eine leere Kapsel von einem Fertigprodukt aufheben. Mit ihrer Hilfe wäre eine genauere Dosierung möglich. Auch könnten wir ein Drittel des Pulvers mit zwei Dritteln Glycerin (auf veget. Kokosbasis) mischen. Damit hätten wir in etwa ein Produkt, das dem fertigen Flüssigextrakt entspricht. Wir wünschen viel Erfolg bei der Anwendung von *self-made*-Grapefruitkern-Extrakt.

Wissenschaftliche
Daten und Fakten

ERZEUGUNG

Grapefruitkern-Extrakt wird heute großtechnisch hauptsächlich aus Grapefruitkernen und zweitrangig aus Grapefruit-Fruchtfleischmembranen gewonnen, die bei der Grapefruit-Safterzeugung abgeführt werden. Durch feines Zermahlen bzw. Auswalzen wird der Extrakt freigesetzt.

INHALTSSTOFFE

Grapefruitkern-Extrakt enthält vor allem Bioflavonoide und Glykoside in Form von Naringin (Naringenin-Rutinoside), Isosakuranetin (Didymin), Neohesperidin, Hesperidin, Dihydrokaempferol-Glykosid, Poncirin, Quercetin-Glykosid, Kaempferol-Glykosid, Apigenin Rutinosid, Rhoifolin, Heptamothoxyflavonid, Nobiletin sowie einige Proteine.

EIGENSCHAFTEN

In seiner einzigartigen Kombination weist dieser natürliche Grundstoff eine stark fäulnishemmende Wirkung auf, die in breitangelegten Laboruntersuchungen und Testreihen an Bakterien-, Viren-, Pilzkulturen und Parasiten sowie am lebenden Organismus mehrfach in voneinander unabhängigen Prüfverfahren in mehreren Ländern nachgewiesen wurde. Grapefruitkern-Extrakt ist hochwirksam gegen ein breites Keimspektrum, z. B. gegen Staphylococcus, Streptococcus, Salmonella, Escherichia coli, Pseudomonas, Lactobacillus, Klebsiella, Shigelle, Legionella, Chlamydia, Helicobacter, Herpes und sehr stark hemmend gegen Pilze und Hefen (siehe detaillierte Laboranalysen). Der Extrakt hat einen sehr geringen frischen Eigengeruch nach Citrus, der in der Anwendungskonzentration jedoch nicht mehr wahrnehmbar ist. Die allgemein übliche Zugabe von pflanzlichem Glycerin reichert den Flavonid-Komplex der Agrumen (Zitrusfrüchte) noch an.

WIRKSAMKEITS-THEORIE

Verschiedenen Studien zufolge scheint sich die antimikrobische Aktivität von Grapefruitkern-Extrakt in der cytoplasmischen Membran der Mikroorganismen zu entfalten. Dabei führen die Wirkstoffe des Extrakts zu einer Desorganisation der cytoplasmischen Membran, wodurch die Aufnahme von Aminosäuren verhindert wird. Gleichzeitig kommt es zu einem Aussickern von Zellanteilen mit niedrigem Molekulargewicht aus der cytoplasmischen Membran. Wir würden dies, vereinfacht gesagt, mit einem „Aushungern" und „Ausbluten" des Mikroorganismus übersetzen. Der Krankheitserreger wird auf diese Weise inaktiviert und stirbt. Der hierfür benötigte Zeitrahmen liegt allgemein günstiger als bei den meisten vergleichbaren Präparaten zur Eliminierung von Mikroorganismen. Die Wirksamkeit von Grapefruitkern-Extrakt bleibt auch bei höheren Temperaturen sowie bei Minusgraden stabil.

TOXISCHE UNBEDENKLICHKEIT

Bei sachgemäßer Anwendung von Grapefruitkern-Extrakt sind bisher keine gesundheitlichen Gefahren bekannt geworden. Der Extrakt ist (bei normaler Anwendung) nicht toxisch und nicht primär hautreizend. Bislang sind keinerlei Fälle von Vergiftungen bekannt geworden. Bei verschiedenen Tierversuchen unabhängiger Labors mußten mindestens 5 g eines 50%igen Grapefruitkern-Extrakts pro kg Körpergewicht zugeführt werden, bevor es in einigen Fällen zu einer tödlichen Vergiftung kam. Aufgrund dieser Ergebnisse wurde die akute Toxizität dieses Mittels in den USA auf eine durchschnittliche Dosis von über 5 000 mg pro Kilogramm Körpergewicht festgelegt. Dies würde bedeuten:

bei 60 kg Körpergewicht müßten mindestens 300 g
bei 70 kg Körpergewicht müßten mindestens 350 g
bei 80 kg Körpergewicht müßten mindestens 400 g
bei 90 kg Körpergewicht müßten mindestens 450 g

eines Grapefruitkern-Extrakts (mit 50%iger Wirkstoffkonzentration) oral zugeführt werden, um eine Vergiftung hervorzurufen. Dies entspricht bei einem Gewicht von 80 kg z. B. der ca. 4 000fachen Menge einer normalen Dosis von 0,1 Gramm Extrakt-Pulver oder ca. 12 Tropfen flüssigem Extrakt. Hieran wird die toxikologische Unbedenklichkeit bei der regulären Einnahme des Extrakts deutlich.

LABORVERSUCHE AM LEBENEN OBJEKT

Natürlich sind wir absolut gegen Tierversuche, dennoch liegen uns die Ergebnisse einiger Testreihen (die in den USA gesetzlich vorgeschrieben sind) vor, die wir der Vollständigkeit halber hier mit angeben:

Bei einem Test zur Feststellung der akuten Toxizität wurde 10 Ratten eine einmalige Dosis von 5 000 mg/kg Körpergewicht verabreicht. Zwei Tage später zeigte eine der Ratten Anzeichen von Lethargie. Nach drei Tagen starb eine Ratte. Die anderen zeigten bis zum Ende des 14tägigen Tests keine Vergiftungserscheinungen. Der Testbericht schließt mit der Feststellung, daß die durchschnittliche tödliche Dosis (LD50) von Grapefruitkern-Extrakt über dem Wert von 5 000 mg/ kg Körpergewicht liegt. Dieser Wert wird von weiteren Tests bestätigt, so daß Grapefruitkern-Extrakt als allgemein nicht toxisch eingestuft wurde.

Drei weitere Tests wurden zur Feststellung der chronischen Toxizität durchgeführt. Bei einem 12monatigen Test wurde ausgewachsenen Ratten täglich Grapefruitkern-Extrakt mit dem Futter verabreicht. Eine tägliche Dosis von 2 900 mg/ kg Körpergewicht war nötig, bevor die Ratten starben. Auf den Menschen übertragen würde das bedeuten, daß ein 80 kg schwerer Mensch zwölf Monate lang täglich ca. 800 ml eines handelsüblichen Grapefruitkern-Extrakts trinken müßte, bevor der Extrakt tödlich wirken könnte. Bei einem anderen 12monatigen Test an neugeborenen Ratten starben die Tiere nach einer täglichen Dosis von 400 mg Grapefruitkern-Extrakt pro Kilogramm Körpergewicht. Eine tägliche Dosis von durchschnittlich 1 992 mg/kg Körpergewicht über 24 Monate hinweg führte bei ausgewachsenen Ratten und Meerschweinchen zum Tod.

Ein **zweijähriger Hautkrebstest** mit Citricidal® an Ratten und Mäusen zeigte keinerlei Schäden auf der Haut oder in inneren Organsystemen.

Ein allgemeines **Krebsrisiko** durch Citricidal® gilt als nicht gegeben. Dies zeigt ein 12monatiger Test an Mäusen ebenso wie ein 24monatiger Test an Ratten.

Ein Allergie-Hauttest am Menschen zeigte bei Verdünnungen von 1 und 2 % (dies entspricht etwa 50 bzw. 100 Tropfen auf ein Glas Wasser) keine Reizung oder Sensibilisierung. Eine Lösung von 3 % (dies entspricht etwa 150 Tropfen auf ein Glas Wasser) zeigte eine leichte Reizung bei allergischen Personen.

Gelangt der Extrakt unverdünnt in die Augen, tritt eine starke Reizung mit leichter Verletzung der Iris auf. Konzentrationen von 0,5, 1 und 2 % rufen eine leichte Reizung und Rötung hervor.

Ein weiterer Test erforschte die **Auswirkungen bei langzeitiger Einatmung** von Citricidal® über die Lungen in einer geschlossenen Kammer. Der Test lief über 90 Tage, an 5 Tagen pro Woche und 8 Stunden pro Tag. Die Konzentration des Grapefruitkern-Extrakts als Testsubstanz betrug 100 – 150 mg pro Kubikmeter Luft. Es wurden keinerlei negative gesundheitliche Auswirkungen oder Erkrankungen festgestellt.

ERSTE-HILFE-MASSNAHMEN

Im Falle eines Falles: Wenn Grapefruitkern-Extrakt in die Augen gelangt, diese reichlich mit (möglichst lauwarmem) Wasser ausspülen, gegebenenfalls einen Arzt aufsuchen.

Bei übermäßiger Einnahme von Grapefruitkern-Extrakt reichlich Wasser nachtrinken. Auch könnten bis zu 3 Teelöffel Psyllium-Hülsen (indische Flohsamen-Kernhülsen) mit 1 Glas Wasser oder bis zu 6 Psyllium-Kapseln eingenommen werden, gegebenenfalls einen Arzt aufsuchen.

Grapefruitkern-Extrakt niemals pur bzw. unverdünnt einnehmen!

Bei etwaigen erkennbaren, unerwünschten Hautreizungen den Extrakt reichlich mit klarem Wasser abwaschen.

UMWELTASPEKTE

Umweltschäden, so bestätigen die amerikanischen Labor-prüfer, sind bei einer Freisetzung von Grapefruitkern-Extrakt in der Natur nicht zu erwarten. Der Extrakt reichert sich nicht im Boden an, dies zeigte eine in den USA durchgeführte 5jährige Studie. Getestet bzw. versprüht wurde der 60%ige Basis-Extrakt in Konzentrationen von 50 – 100 ppm* in unterschiedlichen Sand-, Humus- und Lehmböden. Bereits eine Stunde nach Anwendung ist mittels eines Gas-Chromatographen vom versprühten Extrakt nur noch eine Konzentration von weniger als 1 : 1 Milliarde nachweisbar. Völlig abgebaut ist der Extrakt bei der Verabreichungskonzentration von 50 ppm* nach 24 Stunden, bei der Verabreichungskonzentration von 100 ppm* nach 8 Tagen. Grapefruitkern-Extrakt wurde danach in den USA als *nicht ökotoxisch* eingestuft.

Nach derzeitiger Einschätzung werden auch bei erheblich steigender Nachfrage von Grapefruitkern-Extrakt keine zusätzlichen Anbauflächen benötigt, da heute das Kernmaterial nur zu einem Bruchteil zur Weiterverarbeitung genutzt wird. Der Extrakt sollte aus arbeits- und sozialpolitischen sowie aus transport- und umweltpolitischen Erwägungen heraus bereits in jenen Ländern erzeugt und verarbeitet werden, in denen Grapefruits angebaut, geerntet und zu Saft verarbeitet werden. Dies würde weitere, dringend benötigte Arbeitsplätze in einigen Dritte-Welt-Ländern schaffen.

Dazu regen wir an, daß sich die europäischen Hersteller und Verarbeiter von Grapefruitkern-Extrakt ihre Rohstoffquellen möglichst bei den Mittelmeer-Anrainerstaaten erschließen sollten, anstatt den Extrakt aus den USA oder Südamerika einzuführen. Die asiatischen Staaten sollten ihren Rohstoffbedarf an Grapefruitkern-Material möglichst in Südostasien decken, die Australier in Australien, die afrikanischen Staaten in Afrika. Es gibt keine plausiblen Gründe, diesen wertvollen Rohstoff jeweils um die halbe Welt zu transportieren.

---

* ppm = (engl.) parts per million – Anteile pro 1 Million = 1‰₀₀₀

EINSATZSPEKTRUM

Grapefruitkern-Extrakt wird heute neben der aufgezeigten prophylaktischen und therapeutischen medizinischen Anwendung im menschlichen und tierischen Organismus vor allem in der Entkeimung, Entmykotisierung und Konservierung von Hühnerfleisch, Fisch und Schalentieren sowie bei Nüssen, Gemüse, Obst, Fruchtsäften und Trinkwasser erfolgreich eingesetzt sowie in der Landwirtschaft, der Viehzucht und im Gartenbau. Aufgrund seiner Säurestabilität findet der Extrakt auch in sauren „Bioreinigern" Anwendung. Grapefruitkern-Extrakt zeigt eine gute synergetische Wirkung in sauren Reinigern mit Essigsäure, Zitronensäure, Kaliumhydroxid, Borax und Natriumsulfat. Wegen seiner biologischen Herkunft wird Grapefruitkern-Extrakt heute besonders in der „Naturkosmetik" propagiert. Grapefruitkern-Extrakt ist bei Zubereitungen leicht in die wäßrige Phase einzuarbeiten, auch löslich in Butylenglykol, Alkohol und einigen organischen Lösungsmitteln. Der Extrakt hat gute Mischeigenschaften in Einsatzkonzentrationen von 0,2 - 1 % und ist verträglich mit den meistgebrauchten Hilfsstoffen, auch mit Triton X und Isopropylalkohol. (Wie an anderer Stelle erwähnt ist Isopropylalkohol gemäß den Forschungen von Dr. Hulda Regehr Clark an der Entstehung von Krebs beteiligt. Wir möchten daher seine Anwendung nicht empfehlen.)

AUFBEWAHRUNG

Grapefruitkern-Extrakt sollte vor dem Zugriff von Kindern gesichert, gekennzeichnet, gut verschlossen, möglichst dunkel (lichtgeschützt) und kühl aufbewahrt werden. Er hält sich auch langfristig frisch und verarbeitungsfähig, Verrottung, Keim- oder Schimmelbefall sind nahezu unmöglich. Beim Umgang mit größeren Mengen sollte man vorbeugend eine Schutzbrille tragen.

PRÜFUNG AN EINEM MARKENERZEUGNIS

Citricidal® aus den USA ist die Markenbezeichnung eines standardisierten Extrakts aus 60 % Grapefruitkernen (unter Beigabe von Grapefruitzellmembran) in wäßriger, pflanzlicher (auf Kokosbasis) Glycerinlösung (40 %), ohne metallorganische Zutaten, als natürliches Konservierungsmittel, breitspektrales Antiseptikum mit starken antibakteriellen und fungiziden Eigenschaften.

Citricidal® ist von der CTFA (USA) zugelassen und wird als „Grapefruit Seed Extract" gekennzeichnet. Citricidal® wurde in den USA als „GRAS" (Generally Recognized as Safe) im „Code of Federal Regulations" unter der Nummer 21 CFR 182,20 gelistet. Die FDA hat Citricidal® mit der CRMS No. R 0013982 für kosmetische Zubereitungen zugelassen. Citricidal® ist darüber hinaus von der FDA auch zur Behandlung (Desinfektion) von Lebensmitteln zugelassen. Citricidal® erhielt die CAS No. 90045-43-5. Citricidal® ist nicht ökotoxisch und reichert sich nicht im Boden an.

Chemische und physikalische Eigenschaften von Citricidal®

Chemische Bezeichnung:	Diphenol hydroxybenzene complex
Aggregatzustand:	zähflüssig
Farbe (n. Gardner):	schwaches Zitronengelb, 2
Geruch:	mild-frisch nach Zitrone
Spez. Gewicht (25 °C):	1 110
Dichte:	9,5
PH-Wert (25 °C):	2.0 – 3.0
Molekulargewicht:	565
Entflammbarkeit:	144 °C
Zähflüssigkeit (im Zentrum):	134,91
Löslichkeit (Lösungsmittel):	Wasser, Alkohol, und organische Lösungen

Laboranalysen

Analysen über die Wirksamkeit von Grapefruitkern-Extrakt
bei Bakterien, Viren und Pilzen untersucht 1991 – 1993 von:
Bio/Chem Research Inc., Lakeport, CA, USA
Valley Microbiology Services, Palo Alto, CA, USA
Bio-Research Laboratories, Redmond, WA, USA
British Columbia Research Corp., Vancouver, B.C., Kanada
Northview Pacific Laboratories, Inc., Berkeley, CA, USA

Die Untersuchungen wurden mit dem Basis-Extrakt in der
Verdünnung von 60 % Grapefruitkern-Anteil und 40 % Glycerin (auf Kokosbasis) durchgeführt (letzteres wird beim Herstellungsprozeß benötigt). In dieser Konzentration wird das
Mittel vom Hersteller geliefert und in den USA nur von Ärzten
verwendet. Das in den USA im offenen Handel befindliche
Nutribiotic® wie auch die in Europa handelsüblichen Mittel
enthalten in der Regel ein Drittel von dem oben erwähnten
Basis-Extrakt, dem zwei Drittel Glycerin oder Wasser hinzugefügt werden. Diese Verdünnung wird meist mit 33 % Wirkstoffgehalt bzw. Grapefruitkern-Extrakt oder Citricidal© und
67 % Glycerin bzw. Wasser angegeben. Sie enthält jedoch
genaugenommen nur 20 % Grapefruitkern-Extrakt, da der
verwendete Basis-Extrakt 40 % Glycerin enthält.

In den folgenden Laboruntersuchungen ist jeweils die
kleinste wirksam hemmende Konzentration des 60%igen
Basis-Extrakts aufgezeigt, angegeben in jeweils Millionstel-
Anteilen (MIC = ppm (engl.) parts per million).

Zur Verdeutlichung hier ein bildhafter Vergleich: In der
60%igen Konzentration des Basis-Extrakts entsprechen
2 Tropfen auf eine Tasse Wasser (200 ml) ca.   333 ppm
4 Tropfen auf eine Tasse Wasser   ca.   666 ppm
6 Tropfen auf eine Tasse Wasser   ca. 1 000 ppm

Bei einer Konzentration von 33 % Wirkstoffgehalt (= 20 %
Grapefruitkern-Extrakt) wäre in etwa die dreifache Menge
erforderlich, um auf die gleichen Werte zu kommen.

<u>Citricidal®</u> <u>Minimum Inhibitory Concentration in-vitro (MIC)</u>

Gram-positive Bakterien:	Ursprung	Stamm Nr.:	MIC (ppm):
Bacillus subtilis	NCTC	8236	2
Bacillus megatherium	A	-	60
Bacillus cereus	A	-	60
Bacillus cereus var. mycoides	A	-	60
Clostridium botulinum	NCTC	3805	60
Clostridium tetani	NCTC	9571	60
Corynebacterium acnes	ATCC	6919	60
Corynebacterium diphtheriae	ATCC	6917	60
Corynebacterium diphtheriae	NCTC	3984	60
Corynebacterium diphtheriae	A	-	60
Cornyebacterium minutissium	ATCC	6501	100
Diplococcus pneumoniae	NTCT	7465	60
Giardia lamblia	ATTC	30957	1 000
Lactobacillus arabinosus	CITM	707	66
Lactobacillus arabinosus	ATCC	8014	66
Lactobacillus casei	CITM	707	100
Listeria monocytogenes	ATCC	15313	20
Mycobacterium tuberculosis	A	–	2 000
Mycobacterium smegmatis	NCTC	8152	20
Mycobacterium phelei	A	–	6
Sarcina lutea	NCTC	196	60
Sarcina ureae	ATCC	6473	2
Staphylococcus aureas	NCTC	7447	2
Staphylococcus aureas	NCTC	4163	2
Staphylococcus aureas	NCTC	6571	6
Staphylococcus aureas	NCTC	6966	2
Staphylococcus aureas	ATCC	13709	2
Staphylococcus aureas	ATCC	6538	2
Staphylococcus albus	NCTC	7292	2
Staphylococcus albus	C.-G.	–	6
Streptococcus agalactiae	NCTC	8181	60
Streptococcus haemoyticus A	A	–	20
Streptococcus faecalis	NCTC	8619	200
Streptococcus faecalis	ATCC	10541	60
Streptococcus pyogenes	NCTC	8322	60
Streptococcus viridans	–	–	20

Gram-negative Bakterien:	Ursprung	Stamm Nr.:	MIC (ppm):
Aerobacter aerogenes	CTTM	413	20
Alcalingenes faecalis	A	–	2 000
Brucella intermedia	A	–	2
Brucella abortus	NCTC	8226	2
Brucella melitensis	A	–	2
Brucella suis	A	–	2
Cloaca cloacae	NCTC	8155	6
Escherichia coli	NCTC	86	2
Escherichia coli	ATCC	9663	6
Escherichia coli	ATCC	11229	16
Escherichia coli	NCTC	9001	6
Haemophilus influenzae	A	–	660
Klebsiella edwardsii	NCTC	7242	6
Klebsiella aerogenes	NCTC	8172	6
Klebsiella pneumoniae	ATCC	4352	6
Legionella pneumoniae	isolate	–	200
Loefflerella mallei	NCTC	9674	6
Loefflerella pseudomallei	NCIB	10230	20
Moraxella duplex	A	–	2
Moraxella glucidolytica	A	–	6
Neisseria catarrhalis	NCTC	3622	660
Pseudomonas aeruginosa	ATCC	15442	250
Pseudomonas capacia	C-175	–	5 000
Pasteurella septica	NCTC	948	2
Pasteurella pseudotuberculosis	C.-G.	–	200
Proteus vulgaris	NCTC	8313	2
Proteus mirabilis	A	–	6
Pseudomonas aeruginosa	NTCT	1999	2 000
Pseudomonas aeruginosa	ATCC	12055	20 000
Pseudomonas fluorescens	NCTC	4755	2 000
Salmonella choleraesuis	-	-	50
Salmonella choleraesuis	ATCC	10708	660
Salmonella enteritidis	A	-	6
Salmonella gallinarum	-	-	50
Salmonella typhimurium	NCTC	5710	6
Salmonella typhi	NCTC	8384	6
Salmonella paratyphi A	NCTC	5322	6
Salmonella paratyphi B	NCTC	3176	6

Salmonella pullorum	ATCC	9120	6
Serratia marcescens	A	-	2 000
Shigella flexneri	NCTC	8192	6
Shigella sonnei	NCTC	7240	3
Shigella dysenteriae	NCTC	2249	2
Vibrio cholerae	A	-	200
Vibrio eltor	NCTC	8457	200

Pilze und Hefen:	**Ursprung**	**Stamm Nr.:**	**MIC (ppm):**
Aspergillus niger	ATCC	6275	600
Aspergillus flavis	ATCC	9643	78
Aspergillus fumigatus	ATCC	9197	200
Aureobasidium pullulans	ATCC	9348	10
Candida albicans	A	-	60
Candida albicans	ATCC	10259	60
Chaetomium globosum	ATCC	6205	3
Epidermophyton floccosum	ATCC	10227	200
Keratinomyces ajelloi	A	-	200
Monilia albicans	-	-	10
Penicillium roqueforti	ATCC	6989	5
Saccharomyces cerevisiae	-	-	60
Trichophyton mentagrophytes	ATCC	9533	20
Trichophyton rubrum	A	-	200
Trichophyton tonsurans	A	-	200

WEITERE WIRKSAMKEITS-UNTERSUCHUNGEN

Die Wirksamkeit von Grapefruitkern-Extrakt wurde außerdem an folgenden Mikroorganismen labortechnisch in unterschiedlichen Instituten nachgewiesen.*

Auflistung in alphabetischer Reihenfolge:

Agaricus bisporus
Aspergillus crysstallinus
Aspergillus fischeri
Aspergillus flavus
Aspergillus oryzae
Aspergillus parasiticus
Aspergillus terreus
Campylobacter jejuni
Chaetomium spp.
Chlamydia trachomatis
Entamoeba histolytica
Enterobacter sp.
Fusarium oxysporum

Fusarium sambucinum
Fusarium. sp. tuberosi
Giardia lamblia
Helicobacter pylori
Herpes simplex Virus Type 1
Influenza A_2 Virus
Lactobacillus pentoaceticus
Masern-Virus Morbillium
Penicillium funiculosum
Pullularia pullulans
Scerotinia laxa
Trichomonas vaginalis
Trichophyton interdigitalis

In einer anderen Wirksamkeitsuntersuchung** in den USA wurde ein Grapefruitkern-Extrakt namens "ParaMycrocidin" in einer Konzentration von 0,001- 2 % an 794 Bakterienstämmen und 93 Pilzstämmen getestet. Dabei wurde die Wirksamkeit dieses Mittels an 249 Staph. aureus, 86 Streptococcus sp., 232 Enterococcus sp., 77 Enterobacter sp., 86 E. Coli sp., 22 Klebsiella sp., 18 Proteus sp., 71 Hefepilz- und 22 Schimmelpilz-Stämmen nachgewiesen.

---

* Die exakten Testdaten lagen uns bei Drucklegung leider (noch) nicht vor. Auch stellt nicht jedes Labor/Hersteller seine Prüfungsergebnisse zur freien Verfügung. So mündeten unsere Nachforschungen teilweise in einer aufwendigen Detektivarbeit, und einige Hersteller mutmaßten bereits, daß wir womöglich Wirtschaftsspione irgendeines großen Chemiegiganten seien.

** Ionescu, G./Kiel, R./Wichmann-Kunz, F./Williams, Ch./Bäuml, L./Levine, S.: "Oral Citrus Seed Extract in Atopic Eczema: In vitro and in vivo studies on Intestinal Microflora", Journal of Orthomolecular Medicine, Volume 5, No. 3, USA, 1990

Untersuchung zur relativen Wirksamkeit von Grapefruitkern-Extrakt im Vergleich zu anderen gebräuchlichen antimikrobiellen Wirkstoffen

Die minimale bakteriostatische Konzentrationsuntersuchung ist eine mikrobielle Studie, die verwendet wurde, um die relative Wirksamkeit von Grapefruitkern-Extrakt (Citricidal®) im Vergleich zu anderen antimikrobiellen Substanzen zu ermitteln. Die Studie demonstriert, daß Grapefruitkern-Extrakt (Citricidal®) zehnmal (10 x) bis einhundertmal (100 x) effektiver gegen die in der Untersuchung getesteten Organismen wirkt als die anderen Testsubstanzen.

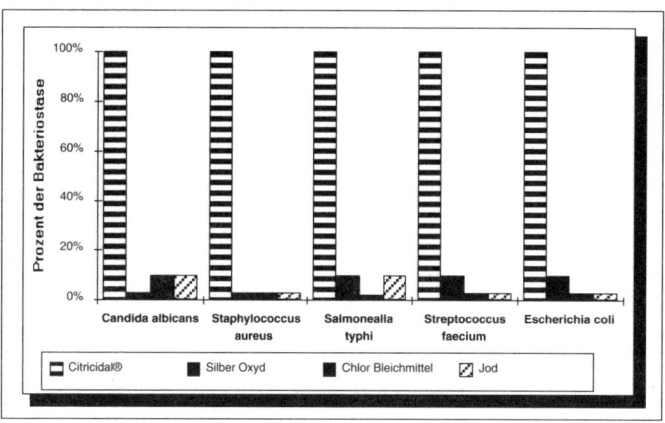

Untersuchung zur Konservierungs-Wirksamkeit
von Grapefruitkern-Extrakt

Die Konservierungsmittel-Wirksamkeitsuntersuchung bewertet die Fähigkeit von Produkten, mikrobiellen Angriffen zu widerstehen. Die Untersuchung ist speziell ausgelegt, um festzustellen, ob ein Produkt vor Mikroorganismen geschützt ist, die eine qualitative oder strukturelle Veränderung des Produktes bewirken könnten. Die Untersuchung zeigt, daß 0,2%iges Citricidal® (Grapefruitkern-Extrakt) genauso effektiv die Erfordernisse des Tests erfüllt wie 0,2%iges Methylparaben. Bezüglich der Reduktion von lebenden Mikroorganismen im Produkt zeigt Citricidal® (Grapefruitkern-Extrakt) jedoch eine beachtlich schnellere Wirksamkeitsentfaltung.

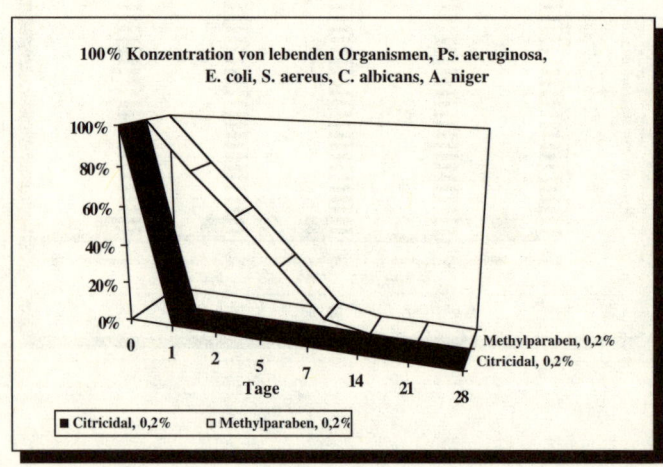

Allgemeine Hinweise zum Verständnis
und zur Vereinfachung der Dosierung
von Grapefruitkern-Extrakt in der täglichen Praxis

1 ppm = (englisch: parts per million)
Anteil pro 1 Million

1 ml = 1 tausendstel Liter = in etwa 1 Gramm Wasser/
1 000 ml = 1 Liter

1 mg = 1 tausendstel Gramm/1 000 mg = 1 Gramm/
1 000 Gramm = 1 kg

Flüssiger Grapefruitkern-Extrakt:
30 Tropfen	entsprechen	ca.	1 ml		
1 Teelöffel	entspricht	ca.	5 ml	= ca. 150 Tropfen
1 Eßlöffel	entspricht	ca.	10 ml	= ca. 300 Tropfen

Grapefruitkern-Extrakt-Pulver:
100 mg   entsprechen ca. 10 – 12 Tropfen
flüssigem Grapefruitkern-Extrakt (z. B. Citricidal®).

Anschriften und Bezugsquellen

Aufgrund der sich kontinuierlich erweiternden Produktpalette in bezug auf Grapefruitkern-Extrakt-Erzeugnisse bietet der Windpferd-Verlag einen kostenlosen Info-Service an.

Auf Anfrage erhältst Du jeweils aktualisierte Informationslisten mit entsprechenden Produktinformationen, Anschriften von Herstellern, Anbietern und Lieferanten. Darin enthalten sind auch die Anschriften von Instituten, die die in diesem Buch beschriebenen Bluttests durchführen.

Schreibe hierzu an:

Windpferd Verlag
Stichwort „Grapefruitkern"
Postfach
D-87648 Aitrang

und füge Deinem Brief einen adressierten und ausreichend frankierten A-5-Umschlag (Ausland zusätzlich mit internationalem Antwortschein) bei.

Die englische Ausgabe des vorliegenden Buches erschien 1996 unter dem Titel:

„The Healing Power of Grapefruit Seed"

und ist erhältlich bei

Lotus Light Publications, POB 325
Twin Lakes, WI 53181
USA

Weiterführende Anregungen und Produktvorschläge für den Einsatz von Grapefruitkern-Extrakt

Neben den dargestellten Anwendungsmöglichkeiten von Grapefruitkern-Extrakt geben wir folgende Anregungen für weitere interessante Einsatzmöglichkeiten, da biologisch sinnvolle Lösungen zu unser aller Wohl gereichen.

Apotheker, Pharmazeuten, Biologen, Chemiker, Ärzte, Kosmetik-Hersteller, Kleinproduzenten, Tüftler, Erfinder und die Industrie sind hiermit aufgerufen, sich an folgenden Produktvorschlägen* zu versuchen.

Grapefruitkern-Extrakt kann dank seiner antibakteriellen, fungiziden und antiparasitären Eigenschaften als aktive Substanz und/oder Konservierungsmittel in folgenden Produkten eingesetzt werden:

Produkte zur Babypflege wie
- Puder
- Cremes
- Lotionen
- Einwegwindeln und Windelhöschen

Körperpflegeprodukte wie
- Seifen und Handwaschpasten
- Duschgels
- Shampoos
- Rasierschaum, Rasiercreme und Rasierwasser
- Badezusätze
- Gesichts- und Körpercremes

---

* Einige der hier aufgezeigten Möglichkeiten und Produkte fanden bereits während der Arbeit an diesem Buch ihre praktische Realisierung, andere befanden sich gerade in der Erprobungsphase.

- Deoroller und Deosprays
- Sonnenmilch und Sonnencremes
- Wattestäbchen

Produkte zur Mund- und Zahnpflege wie
- Zahncremes
- Mundwässer und Mundsprays
- Kaugummis zur Kariesvorbeugung
- Brausetabletten zur Reinigung von Zahnprothesen
- hölzerne Zahnstocher
- Zahnseide
- Desinfektionsmittel in der zahnärztlichen Praxis
- Zahnfüllungen

Produkte zur Frauenhygiene wie
- Slipeinlagen
- Monatsbinden
- Tampons
- Frauenduschen
- Vaginalsprays und -gels

Kosmetikartikel wie
- Make-up
- Gesichtscremes und Gesichtswässer
- Reinigungslotionen
- Lippenstifte (zur Vorbeugung und Behandlung von *Herpes Simplex*)
- Nagellack und Nagellackentferner (zur Vorbeugung gegen Nagelpilz)

Medizinische Produkte wie
- Wundcremes
- Pflaster, Wundauflagen und Verbände
- Fertigtupfer im medizinischen Einsatz
- Hautdesinfektionsmittel vor chirurgischen Eingriffen
- Gleit- und Desinfektionswirkstoff in medizinischen Gummi-handschuhen

- medizinisch-klinische Handwaschgels
- Akneserie: Hautreiniger, Waschlotionen und Gels
- Hustentropfen, Hustenbonbons, Husten- und Erkältungssaft, Lutschpastillen gegen Husten, Heiserkeit und Rachenkatarrh
- Schnupfenspray
- Ohrentropfen
- Ohrenreiniger
- Vaginalzäpfchen zur Behandlung von Eierstockzysten
- Sprays, Puder, Cremes zur Behandlung von Schweißfüßen oder anderen Fußpilzerkrankungen
- Nagelpilzpräparate

Reinigungs- und Hygienemittel für den Haushalt sowie für öffentliche Anlagen und Gebäude wie
- diverse Haushaltsreiniger
- Toilettenreiniger
- Geschirrspül- und Spülmaschinenmittel
- Waschpulver
- Teppichreiniger und Teppichsprays
- Sprays und Lösungen zur allgemeinen Hygiene in medizinischen Praxen, Krankenhäusern, Tagesstätten, in der Heimpflege Kranker und Alter
- Desinfektionsmittel für medizinische Geräte und Instrumente
- Reinigungs- und Desinfektionsmittel für öffentliche Bäder, Saunas, Fitness-Studios und Solarien
- Fußpilzmittel für Fuß-Desinfektionsanlagen in öffentlichen Bädern
- Raumsprays
- Mittel zum Einsatz in Klimaanlagen, Luftbefeuchtern und Luftentfeuchtern
- Mittel zur Schimmelpilzvernichtung und -prophylaxe in feuchten Räumen

Produkte zum Einsatz in der Haustier- und Farmtierhaltung wie
- medizinische Shampoos und Sprays gegen äußeren Tierparasitenbefall

- Wurmmittel, eventuell in Form von Kapseln und Pulver
- Mittel zur Hufbehandlung
- antiseptische Versorgung von Wunden
- Desinfektionsmittel für Käfige, Hütten und Ställe
- Mittel zur Reinhaltung des Wassers in Fischfarmen und Aquarien

Produkte für den Land- und Gartenbau wie
- Frischhaltemittel für Schnittblumen
- Sprays und Lösungen zur Schädlings- und Schimmelpilzbekämpfung an Hauspflanzen, im Garten, im Getreide-, Obst- und Gemüseanbau
- Mittel zur Saatgutbehandlung gegen Schimmel und Fäulnis
- Mittel gegen Schimmel und Fäulnis bei der Lagerung von Samen, Saatgut und Kartoffeln
- Mittel zum Einsatz in der Forstwirtschaft gegen verschiedene Baumkrankheiten, Schimmelpilz- und Parasitenbefall

Produkte zur Konservierung und Desinfektion in der Lebenmittelindustrie wie
- Haltbarmachung von Frischware wie Getreide, Früchte, Gemüse, Fleisch und Fisch
- Haltbarmachung von verarbeiteten Lebensmitteln und Getränken
- Desinfektionsmittel für Melkanlagen
- Desinfektionsmittel für Herstellungs- und Abfüllgeräte sowie zur Reinigung von Mehrwegflaschen und -gläsern

Produkte für zusätzliche Anwendungen wie
- Wirkstoff zur biologisch unbedenklichen Brauch- und Trinkwasseraufbereitung
- Holzschutzmittel
- Bakterizid und Fungizid in Teppichböden, Stoffen und anderen Materialien
- Desinfektionslösung für den Einsatz in der Gastronomie, z. B. im Spülbecken für Biergläser, bei der Reinigung von Besteck und Geschirr

- antiseptische Beschichtung auf Kondomen
- Gleitcremes und Puder zum Einsatz in Taucheranzügen
- hoffentlich noch viele weitere Anwendungsmöglichkeiten!!

So geben wir die Prognose ab, daß bis zum Jahr 2000 viele der hier aufgezeigten Möglichkeiten realisiert sein werden. Wetten, daß?

Jedoch:

Ein jedes Problem
durchläuft bis zu seiner Anerkennung drei Stufen:
In der ersten wird es lächerlich gemacht,
in der zweiten bekämpft,
in der dritten gilt es als selbstverständlich.

ARTHUR SCHOPENHAUER (1788 – 1860)

Aufruf zu internationaler Mitarbeit

Wenn jeder dem anderen helfen wollte,
wäre bereits allen geholfen.

MARIE FREIFRAU VON EBNER-ESCHENBACH (1830 – 1916)
AUS „APHORISMEN"

Viele Leser und Leserinnen dieses Buches werden mit großer Wahrscheinlichkeit im Laufe der nächsten Wochen und
Monate ihre eigenen Erfahrungen mit Grapefruitkern-Extrakt
machen und die Wirkung dieses interessanten NaturExtrakts
bestätigen können. Nicht wenige Menschen sind von Natur
aus experimentell veranlagt und werden wie wir selbst versuchen, Grapefruitkern-Extrakt in weiteren Anwendungsbe-
reichen einzusetzen. Grundsätzlich raten wir dringend, bei
derartigen Vorhaben und Versuchen mit größter Vorsicht und
Umsicht vorzugehen – die eigene Gesundheit und das Wohlbefinden sollten hier immer an erster Stelle stehen! Vor allem
fordern wir hier ausdrücklich *nicht* zu solchen Experimen-
ten auf.

Dennoch können durch derartige „Wohnzimmerversuche"
vielerlei neue Einsatzbereiche für Grapefruitkern-Extrakt entdeckt werden. Aber auch Ärzte, Heilpraktiker, Krankenschwestern, Hebammen, Apotheker, Pharmazeuten, Fußpfleger,
Kosmetikerinnen, Gesundheitsberater, Physiotherapeuten,
Chemiker, Tierpfleger und Viehzüchter, Landwirte und Gärtner, die angeregt durch unser Buch Grapefruitkern-Extrakt
für sich entdecken und anwenden, werden auf weitere interessante Anwendungsbereiche stoßen' und einen Schatz an
eigenen Erfahrungen sammeln. So möchten wir an dieser
Stelle dazu anregen, die Erfahrungen und Erkenntnisse der

allgemeinen Forschung bzw. der Öffentlichkeit zugänglich zu machen.

Zu diesem Zweck haben wir ein „**Grapefruitkern-Forum**" ins Leben gerufen, das Erfahrungen und Beobachtungen mit Grapefruitkern-Extrakt entgegennimmt, katalogisiert und auswertet und an verantwortungsvolle Wissenschaftler, Praktiker und Hersteller weitergibt. Werden diese Erfahrungen durch wissenschaftliche Erkenntnisse oder eine überzeugende Anzahl gleicher Erfahrungen bestätigt, werden diese zum Wohle aller veröffentlicht bzw. zur Veröffentlichung an die Medien wie Presse, Rundfunk, Fernsehen und Internet weitergeleitet. Interessante Erfahrungen, Erkenntnisse und Beobachtungen mit Grapefruitkern-Extrakt oder -Produkten jeder Art bitte weiterleiten an:

GRAPEFRUITKERN-FORUM
Ardnatrush, Vale Cove
IRL Glengarriff, Co. Cork
Ireland

Zusendungen bitte möglichst in deutsch, englisch, holländisch oder französisch – und vielen herzlichen Dank im Namen aller, denen diese Erkenntnisse einmal zugute kommen werden!!!

Darüber hinaus steht es jedem offen, seine Erfahrungen und Erkenntnisse mit Grapefruitkern-Extrakt selbst in Form von Artikeln oder Leserbriefen an die in Frage kommende Fachpresse weiterzugeben oder in Form von Beiträgen in Diskussionsrunden, von Fernseh- und Rundfunkbeiträgen mit anderen zu teilen.

Eine Bitte: Gleichzeitig bitten wir, von Anfragen wie: „Hat Grapefruitkern-Extrakt in diesem speziellen Fall eine Wirkung oder nicht?" abzusehen.

Zu solchen Beurteilungen gehören gewöhnlich klare Diagnosen und das Wissen um die verschiedenen Begleitumstände der betroffenen Person. So ist es angebrachter und lohnender, einen erfahrenen Arzt oder Heilpraktiker oder auch direkt den Hersteller eines Produktes zu befragen.

Abschließende Betrachtung

Die Natur kreiert nichts ohne Bedeutung.

Aristoteles (384 – 322 v. Chr.)

Wer dieses Buch gelesen hat, wird uns wohl recht geben, daß es sich bei dem Kern der Grapefruit um ein ganz besonderes Geschenk der Natur handelt, das uns durch seine vielseitigen Talente durchaus in seinen Bann zu ziehen vermag. Dabei stehen Forschung und Wissenschaft zunächst am Anfang, und wir werden gewiß noch von mancher interessanten Entdeckung hören.

Gleichzeitig jedoch sollten uns die in diesem Buch dargestellten Erkenntnisse nicht dazu veranlassen, Bakterien, Viren, Pilze und andere Kleinstlebewesen zu erklärten Feinden zu machen oder gar in eine Phobie gegenüber diesen Mikroorganismen zu verfallen, denn in der Schöpfung hat bekanntlich alles seinen Sinn. Es mag sein, daß gewisse ursprünglich in sich ausgeglichene Mechanismen aus dem Gleichgewicht geraten sind, doch meist sind wir Menschen die Verursacher solcher Störungen. Hier gilt es, für die Zukunft zu lernen und im Umgang mit den Kräften der Natur sehr viel mehr Sensibilität zu entwickeln. Doch scheint es auch, daß bereits ein Umdenken auf breiter Front begonnen hat.

An dieser Stelle kommen wir noch einmal auf unsere eingangs geäußerten Gedanken zurück, daß jedes Krankheitsgeschehen auch einen Lern- oder Entwicklungsschritt von uns fordert, uns hinweisen will auf unerfüllte, ungelebte Bewußtseinsbereiche und uns zu unserer eigenen Weiterentwicklung führen will. Aus diesem Blickwinkel ist Krankheit eben nicht nur ein Übel oder Ungemach der Natur, sondern eine sinnvolle Herausforderung für unser individuelles Schicksal, eine Aufforderung, zu wachsen, zu akzeptieren und zu integrieren, was wir aus der Ganzheit des Daseins herausgelöst und in die Einseitigkeit verdrängt haben. Tiefgreifende Heilung ist immer auch mit einem individuellen Wachstums- oder Erkenntnisschritt verbunden, der jedoch nicht automatisch durch irgendein neues Mittel, ja nicht einmal durch den segensreichen Extrakt der Grapefruit ersetzt wird.

Diese Erkenntnis schließt jedoch nicht aus, daß wir auch Hilfen auf der stofflichen Ebene suchen, finden und annehmen, denn schließlich vollzieht sich unser Dasein auch auf diesem materiellen Terrain – wenn auch nicht ausschließlich. Hier gilt es, ein Gleichgewicht zu finden, das sowohl Geist als auch Materie, Himmel und Erde, Verstand und Gefühl, männlich und weiblich in sich birgt und beide Ebenen zu einem ausgewogenen, ganzheitlichen Zustand zurückführt.

In diesem Sinne dürfen wir voller Achtung, Dankbarkeit und Freude der Segnungen der Natur gedenken, die uns Dinge wie das Wunder im Kern der Grapefruit schenkt und die wir für unser Leben und unser Wohlbefinden erfolgreich nutzen können.

Danksagung

Für ihre großartige Hilfe und Unterstützung an der Entstehung dieses Buches danken wir von ganzem Herzen:

Utella Hackmann (Irland), die das Büro immer wieder ordnete, Texte korrigierte und viele nützliche Ideen einbrachte,

Allen Dare (Irland), der uns in sein Wissen und seine Erfahrungen mit dem Grapefruitkern-Extrakt einführte,

Knud Dencker-Jensen (Dänemark), dem wir sehr für seine Offenheit bezüglich seiner Erfahrungen mit Grapefruitkern-Extrakt in der Landwirtschaft danken,

Celia und **Brian Wright** (Großbritannien) für ihre mutige Pionierarbeit in der internationalen Wissensverbreitung um den Grapefruitkern-Extrakt,

Dixie Shipp (USA) für ihre großartige Unterstützung bei unseren Recherchen in den USA und in Asien,

Jürgen Kolb (Deutschland) für seine Verdienste bei den internationalen Nachforschungen im Internet und bei den Computergraphiken,

Alois Hanslian (Deutschland), dem Künstler, für seine ansprechenden Illustrationen zu diesem Buch,

Racky Baginski (Deutschland), Bodos Bruder, für seine fachkundige Beratung im landwirtschaftlichen Metier,

Hans Jürgen Colombara (Deutschland) und

Norbert Harmuth (Deutschland), den Apothekern, für ihre freundliche Unterstützung, und

Ramilan, unserem Sohn, der so viel Geduld und Verständnis aufbrachte, als wir mit diesem Buch beschäftigt waren, sowie

Monika und **Wolfgang Jünemann** (Deutschland), unseren tatkräftigen Verlegern, die immer wieder zu neuen, mutigen publizistischen Pioniertaten bereit sind.

Auch danken wir von ganzem Herzen allen unseren Freunden, Leserinnen und Lesern, die sich an der internationalen Verbreitung des Wissens über die vielfältigen Wirkungen und Einsatzbereiche des dargestellten Naturextrakts beteiligen und somit aktiv eine gesündere und natürlichere Lebensweise wie auch die Genesung der Natur unterstützen.

Die Autoren

Shalila Sharamon, geb. am 24.7.1948, erhielt 1972 eine Ausbildung zur Meditationslehrerin. Sie gründete und leitete mehrere Meditationszentren. 1980 begann sie zusätzlich mit dem Studium der Astrologie, seit 1992 schwerpunktmäßig der Indischen Astrologie. Sie verflocht ihr astrologisches Wissen mit einer ganzheitlichen Lebenshilfe- und Gesundheitsberatung. Auf langjährigen Reisen durch Europa und Asien vervollständigte sie ihren Erfahrungsschatz über natürliche Heilweisen und die Möglichkeiten einer ganzheitlichen Entwicklung.

Bodo J. Baginski wurde am 10.4.1952 als Sohn des Lyrikers Bodo Baginski und der Schriftstellerin Olli Baginski geboren. Nach einigen Lehr- und Wanderjahren und einer Ausbildung zum Physiotherapeuten eröffnete er 1973 eine eigene Praxis, in der bevorzugt alternative Heilweisen angewendet wurden. In die Zeit seiner 10jährigen Tätigkeit in diesem Beruf fielen mehrere Patententwicklungen in der Medizintechnik. Seine Suche nach weiteren Möglichkeiten der ganzheitlichen Heilung führte ihn 1983 für ein Jahr zur Findhorn-Community nach Nordschottland sowie in verschiedene asiatische Länder.

Bodo J. Baginski und Shalila Sharamon fanden 1984 durch ihr gemeinsames Interesse an natürlicher, ganzheitlicher Heilung zusammen. Es folgte eine Zeit gemeinsamer Vorträge und Seminare und die Gründung einer Fachbuchhandlung für Esoterik. Im Jahre 1985 veröffentlichten sie ihr erstes gemeinsames Buch „Reiki – universale Lebensenergie", das bereits weltweite Beachtung fand. Weitere Bücher und Tonträger wie z. B. „Das Chakra-Handbuch", „Kosmobiologische Geburtenkontrolle" oder „Einverstandensein – die Erlösung des Schattens" folgten. Ihre inspirierenden Werke tauchten immer wieder, teilweise über mehrere Jahre hinweg, in den Fachbestsellerlisten auf. So fanden ihre Veröffentlichungen ein Millionenpublikum und wurden bislang in 20 Sprachen übersetzt.

1990 zogen sich die beiden Autoren in die beflügelnde Stille Irlands zurück. Dort leben sie umgeben von einer ursprünglichen Natur direkt am Atlantik, arbeiten an sich selbst und an weiteren Büchern. Als sie mit dem Thema dieses Buches konfrontiert wurden, widmeten sie einen großen Teil ihrer Zeit den internationalen Recherchen sowie der eigenen Erforschung der vielversprechenden Wirkungen des Grapefruitkern-Extrakts. Von den Ergebnissen begeistert, unterbrachen sie kurz entschlossen die Arbeit an drei weiteren Buchmanuskripten, um ihr gesammeltes Wissen und ihre Erfahrungen zu Papier zu bringen. Auf diese Weise entstand das vorliegende Buch – das weltweit erste zu dieser Thematik.

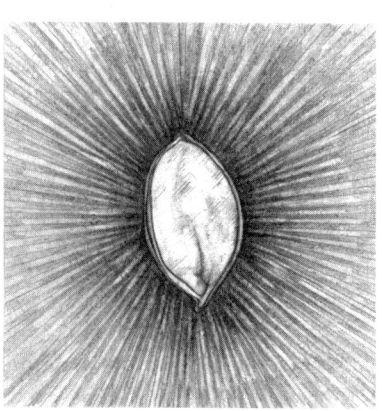

Bibliographie

Alternative Medicine Digest: „Grapefruit Seed Extract – A Multipurpose Natural Antibiotic", (Natural Pharmacy), USA, No. 22, 1994

Arndt, Ulrich: „Die Invasion der Pilze – Alarmierende Ergebnisse neuer Blutdiagnose", Esotera, Verlag Hermann Bauer, Freiburg, Heft 12, 1994

Arndt, Ulrich: „Die Urpilz-Kur – Neue Hoffnung bei vielen Erkrankungen", Esotera, Verlag Hermann Bauer, Freiburg, Heft 1, 1995

Arnoul, Franz: „Der Schlüssel des Lebens", Edition Asklepios, Reichl Verlag, St. Goar, 3. Auflage 1995

Béchamp, A.: „Les Mikrozymas", Centre Intérnational d´Études A. Béchamp, Paris, 1990

Bioconsultants/Bio-Research Laboratories: „Bacteriocidal Efficacy of Citricidal", Redmond, WA, Dec. 1992

Blechschmidt, Jutta/Meinhof, Wolf: „Candida – Mycosen in der Praxis. Diagnostik und Therapie", Diesbach Verlag, Berlin, 1989

Blecker, Dr. Maria: „Blutuntersuchungen im Dunkelfeld nach Prof. Dr. Günther Enderlein", Semmelweis, Hoya, 1993

Bolivar, R./Bodey, G. P.: „Candidasis of the gastrointestinal tract", Raven Press, New York, 1985

Bursacker, J.: „Epidemiologische Untersuchungen gesunder Rekruten auf Hefepilzbefall von Zunge, Fäzes und Genitale unter besonderer Berücksichtigung zeitsparender Verfahren in der Hefediagnostik", Innaug. Dissertation, Hamburg, 1987

Calori-Domingues, M. A./Fonseca, H.: „Laboratory evaluation of chemical control of aflatoxin production in unshelled peanuts (Arachis hypogaesa L., with grapefruit seed extract ...)", in: Food Additives and Contaminants 12 (3), Shields, May - Jun 1995

Cannon: „Teufelskreis – Wenn Antibiotika krank machen", Bircher-Brenner Verlag, Bad Homburg, Ausgabe 1995

Chaitow, Leon: „Candida Albicans: Could Yeast Be Your Problem?", Thorsons, Wellingborough, 1991

Cho, Sung-Hwan et al: „Prevention of microbial post-harvest injury of fruits and vegetables by using grapefruit seed extract, a natural antimicrobial agent", Journal of the Korean Agricultural Chemical Society, Korea, 36 (4), 265 – 270, 1993

Cho, Sung-Hwan/Seo, Il-Won/Choi, Jong-Duck: „Antimicrobial and antioxidant activity of grapefruit seed extract on fishery products", Bulletin of the Korean Fisheries Society, Korea, 23 (4), 289 – 296, 1990

Clark, Dr. Hulda Regehr: „The Cure for All Cancers – With 100 Case Histories", ProMotion Publishing, San Diego, CA, 1993

Clark, Dr. Hulda Regehr: „The Cure of All Diseases", ProMotion Publishing, San Diego, CA, 1995

Croog, Dr. med. William G.: „The Yeast Connection", Vintage Books, New York, 2. Edition 1986

Croog, Dr. med. William G.: „Candida: acidophilus and herbal remedies, along with an elimination diet may help sufferers of chronic yeast infections regain their health", Better Nutrition for Today's Living, Vol. 52, No. 5, Pg. 20, May 1990

Davis, Leonhard J.: „The Natural Health Guide to Children´s Health", Natural Health, Vol. 25, No. 6, East West Partners, Nov. 1995

Drury, Susan: „Die Geheimnisse des Teebaums", Windpferd Verlag, Aitrang, 24. Auflage 1995

Duffus/Slaughler: „Seeds and their uses", Wiley, London, 1980

Dunbar, W. Ph.: „Zur Frage der Stellung der Bakterien, Hefen und Schimmelpilze im System", Semmelweis-Institut, D Hoya, 2. Auflage 1981

Dumrese, Dr. med. Jost/Haefeli, Bruno: „Handbuch Pleomorphismus. Blutpilze – Blutsymbioten – Blutparasiten ...", Haug Verlag, Heidelberg, 1. Auflage 1996

Finck, Hans: „Die Anti-Hefepilz-Diät, Vitalkost gegen Candida albicans", Ehrenwirth Verlag, München, Ausgabe 1996

Fiorentin, L. et al: „Growth inhibition moulds of the group Aspergillus flavus by grapefruit seed extract", Arquivo Brasileiro de Medicina Veterinaria e Zootecnia, 43 (3), 227 – 240, Portugal, 1991

Fonzek, T.: „Pilze auf der Mundschleimhaut und auf Zahnbürsten", Labor Praxis, GIT Verlag, Darmstadt, Heft 4, 1984

Gemeinhardt, H. (Hrsg.): „Endomykosen des Menschen", Fischer Verlag, Stuttgart, 1989

Ghannoum/Radwan: „Candida Albicans – Candida Adherence to Epithelical Cells", C.R.C. Publications, London, 1990

Ginter, G./Pristautz, H./Beham, H.: „Mykologische Untersuchungen von Speichel und Magensaft bei 100 Endoskopiepatienten", Labormedizin, GIT Verlag, Darmstadt, Heft 6, 1988

Gittlemann, Ann Louise: „Guess What Came To Dinner – Parasites and Your Health", Avery Publishing Group Inc., USA New York, 1993

Gittlemann, Ann Louise: „The growing problem of parasites", Natural Health, Vol. 23, No. 5, Pg. 68, East West Partners, Sept. 1993

Goren, R. v./Mendel, K./Balaban, M. (Hrsg.): „Citriculture. Proceedings of the Sixth International Citrus Congress, Middle East", in 4 Bänden, Margraf Verlag, Weikersheim, 1989

Gray, Robert: „The Colon Health Handbook", Emerald Publishing, Reno, Nevada, 12. Edition 1991

Grigoriu/Delacretaz/Barelli: „Lehrbuch der medizinischen Mycologie", Hans Huber Verlag, Stuttgart, 1994

Guzek, Gaby/Lange, Elisabeth: „Pilze im Körper – Krank ohne Grund", Südwest-Verlag, München, 1995

Häfeli, Bruno: „Die Blut-Mykose", BHS-Labor, Ebikon, 1987

Häfeli, Bruno: „Neues aus der Forschung über die Blut-Mycose", Heft 1 – 4, Verlag BHS-Labor, Pfäffikon/Sz.

Hauck, Helge: „Candida Mycosen im Alter. Die Bedeutung der Candida albicans-Infektionen der Haut und der Schleimhäute für die Geriatrie", Grosse Verlag, Berlin, 1981

Heideklang, Christine: „Ursachen und Behandlung von Mykosen", Knaur Verlag, München, 1995

Hosch, Harald: „Gesund durch Entsäuerung – Das Säure-Basen-Gleichgewicht wiederherstellen und erhalten", Jopp Verlag, Wiesbaden, 1994

Ionescu/Kiel/Wichmann-Kunz/Williams/Baum/Levine: „Oral Citrus Seed Extract in Atopic Eczema: In Vitro and In Vivo Studies on Intestinal Microflora", Journal of Orthomolecular Medicine, Volume 5, No. 3, 1990

Jacobs, Gill: „Candida albicans", Optima Book, Little Brown & Co., London, 4. Edition 1994

Kimball, H.: „Citrus processing – Quality control & technology", Reinhold van Nost, London, 1991

Kinon, Ulla: „Mycosen – Die (un)heimliche Krankheit", Oesch Verlag, Zürich, 1. Auflage 1986

Kinon, Ulla: „Mycosen", Econ , Düsseldorf, 2. Auflage 1995

Kinon, Ursula: „Mycosen – Pilzinfektionen der Haut und der inneren Organe", Weltbild , Augsburg, 1. Auflage 1990

Kinon, Ulla: „Virusinfekte", Verlagsgemeinschaft für Naturheilkunde & Psychologie, Eschborn, 1. Auflage 1989

Kinon, Ulla: „?Allergie? – !Allergie!", Verlagsgemeinschaft für Naturheilkunde & Psychologie, Eschborn, 3. Aufl. 1995

Klaus, Erna: „Was ist bloß los mit mir? Candida-albicans – Maskierte Pilzerkrankungen", Verlag Rasch und Röhring, Hamburg, 1995

Kreger-van Rij, N. J. W.: „The yeasts. A taxonomic study", Elsevier Service Publishers B.V., Amsterdam, 3. Aufl. 1984

Krehl, P.: „Citrus in health and disease", University Press of Florida, 1989

Kroeger, Dr. Hanna: „Parasites – The Enemy Within", Hanna Kroeger Publications, Boulder, Colorado, 1991

Kushner-Resnice, Susan: „Grapefruit Seed Extract – Natural Antibiotic", East-West – Nat. Health Magazine, p. 37 – 39, Jan/Feb. 1992

Lewith, Dr. George T.: „Candida and Thrush", BioMed Publications Ltd, Birmingham, 1990

Lorenzani: „Candida Albicans – Twentieth Century Disease", Keals Publication Inc., London, 1989

Los Angeles Times: „Nature´s Way Citronex Supplement

Capsules" (contain 130 mg grapefruit seed extract), 11. March, Page 4, The Times Mirror Company, 1992

Malicke, H.: „Langzeitstudie über die Rezedivhäufigkeit der Genitalmykose bei Frauen nach einfacher Lokalbehandlung des Genitals und nach zusätzlicher Lokalbehandlung des Magen-Darm-Traktes", Notabene Medici – Journal für Ärzte, Notamed Verlag, Bad Homburg, Heft 10, 1980

Markus, Dr. med. Harold H./Finck, Hans: „Candida, der entfesselte Hefepilz", Ehrenwirt Verlag, München, 1. Aufl. 1995

Markus, Dr. med. Harold H./Finck, Hans: „Ich fühle mich krank und weiß nicht warum – Candida albicans – die maskierte Krankheit.", Ehrenwirt, München, 12. Aufl. 1994

Mehlhorn, Heinz (Hrsg.): „Parasitology in Focus – Facts and Trends", Springer Verlag, Berlin, 1988

Meinhof, W.: „Differentialdiagnose Mykose-Ekzem", Der Hautarzt, Springer Verlag, Berlin, Heft 26, 1975

Meinhof, W.: „Die intestinale Besiedlung mit Candida albicans und ihre Auswirkung auf einige chronisch-entzündliche Dermatosen", Der Hautarzt, Springer Verlag, Berlin, Heft 8, 1995

Mendling, Werner: „Vulvovaginal Candidosis – Theory and Practice", Springer Verlag, Berlin, 1988

Monselise, S. P.: „Citrusfrüchte als Rohware für die Herstellung von Säften und anderen Erzeugnissen", Hempel, Wolfsburg, 1973

Müller, J.: „Pilze im Gastrointestinaltrakt", Fortschritte der Medizin, Urban und Vogel, München, Heft 20, 1982

Müller, J.: „Mikrobiologische Diagnostik und Therapiekontrolle bei Sproßpilzmykosen", in: „Systemische Mykosen", Editiones Roche, Basel, 1983

Müller-Mees, Elke: „Pilzerkrankungen – Diagnose, Erscheinungsbild und natürliche Behandlung", Knaur Verlag, München, 1995

Nolting, S.: „Die Bedeutung der Candida-Vulvo-Vaginitis und Balnitis unter spezieller Berücksichtigung der Partnerbehandlung", Münchener Medizinische Wochenschrift, MMV Medizin Verlag, München, Heft 118, 1976

Nolting, S./Fegeler K.: „Medizinische Mykologie", Springer, Berlin, 1992

Odds, F. C.: „Candida and Candidosis", Baillière Tindall, London, 1988

Olson, Cynthia: „Die Teebaumöl-Hausapotheke", Windpferd Verlag, Aitrang, 21. Auflage 1995

Parrish, Michael: „Just call him The Green Marketeer" (Greenway markets line based on grapefruit seed extract), Los Angeles Times, Page 1, 18. Sept. 1993

Patterson, Barbara: „The Allergy Connection", Thorsons, Wellingborough, 1995

Park, S. W./Jeon, J. H./Kim, H. S./Joung, H. : „Effect of grapefruit seed extract on penicillium growth and tuberization in tissue culture of potato (Solanum tuberosum L.)", Hauguk Wonye Hakoe Chi, Korea, v. 36 (2) 1995/Journal of the Korean Society for Horticultural Science, Korea, 36 (2), 179 – 184, 1995

Prasad, Rajendra: „Candida Albicans – Cellular and Molecular Biology", Springer Verlag, Berlin, 1991

Prigge, W./Prigge-Stein, R.: „Nativblutuntersuchungen im Dunkelfeld und bioelektronische Messung nach Vincent – Arbeitsmappe III", Selbstverlag, Hannover, 1990

Pschyrembel, Prof. Dr. Dr. Willibald: „Klinisches Wörterbuch", Verlag de Gruyter, Berlin, 257. Auflage 1993

Pulverer, Gerhard: „Medizinische Mikrobiologie und Parasitologie für Krankenpflegeberufe", Thieme, Stuttgart, 2. Aufl.1988

Ranzani, M.R./Fonseca, H.: „Mycological evaluation of chemically-treated unshelled peanuts (with grapefruit seed extrakt ...)", Food Additives and Contaminants, 12 (3), Shields, May-June 1995

Reinhold, Horst G.: „Citruswirtschaft in Israel. Eine geographische Untersuchung des Agrumenbau, seiner Voraussetzungen, Formen und Möglichkeiten", Geographisches Institut der Universität Heidelberg, Heidelberg, 1975

Rieth, H.: „Pathologische Gärung im Darm durch pathogene Hefen", Pilzdialog – Praktische Mykologie, Schwarzeck Verlag, Ottobrunn, Heft 1, 1984

Rieth, H.: „Das Recht auf Pilz-freie Geburt", Pilzdialog – Praktische Mykologie, Schwarzeck Verlag, Ottobrunn, Heft 2, 1984

Rieth, H.: „Anti-Pilz-Diät gegen pathogene Hefen im Intestinaltrakt", Pilzdialog/Praktische Mykologie, Schwarzeck, Ottobrunn, Heft 3, 1985

Rieth, H.: „Mykosen – Anti-Pilz-Diät", Notamed, Melsungen, 1988

Rippere, Vickey: „The Allergy Problem", Thornsons, Wellingborough, 1989

Rochlitz, Dr. med. Steven: „Allergies and Candida", Human Ecology Balancing Sciences Inc., New York, 1988

Sachs, Dr. med. Allan: „Grapefruit Seed Extract – A Revolution in Germ Control", To Your Health Magazine, USA, issue April/May 1993

Sachs, Dr. med. Allan: „Grapefruit Seed Extract – The Swiss Army Knife of Germ Control", Health Store News, USA, issue Aug./Sept. 1993

Saltarelli: „Candida Albicans – The Pathogenic Lungs", Hemisphere Publication, USA, 1989

Schepper: „Candida Albicans – Diet Against It", Foulsham Pub., GB, 1989

Schneider, Dr. med. Ernst: „Die grossen 5 der Heilkraft" – 5 Bände, Hrsg. Deutscher Verein für Gesundheitspflege, Band I „Nutze die Heilkraft unserer Nahrung – Geleitwort von Ralph Bircher", Saatkorn Verlag, Hamburg, 5. Auflage 1989

Schütz, B.: „Hefepilze. Ein Kompendium hefebedingter Erkrankungen", Institut für Mikroökologie, Herborn, 1994

Schütz, B./Keiner, K./Zimmermann, K.: „Candida-Mykosen", Erfahrungsheilkunde – Acta medica empirica – Zeitschrift für die ärztliche Praxis, Haug Verlag, Heidelberg, Heft 9, 1994

Schwerdtle, Dr. Cornelia/Arnoul, Franz: „Einführung in die Dunkelfelddiagnostik", Semmelweis Verlag, Hoya, 1. Auflage 1993

Sichel/Sichel: „Relief From Candida – Allergies and Ill Health", S. Millner Publications, Australia, 1990

Skolnick, Dr. Mitchell: „Grapefruit Seed Extract", The Trend Journal, Vol. I, No. 1, Pg. 3, The Trends Research Institute, USA, Winter Report 1992

Tantaoui-Elaraki, A. et al: „Inhibition of the garden cress seed (and grapefruit seed extract) germination by Penicillium italicum Wehmer and Penicillium digitatum (Pers. Ex. Fr.) Sacch. culture filtrates", 25 (4), 353 – 356, Lebensmittel-Wissenschaft & Technologie, Academic Press Inc., London, 1992

The Third Opinion: „Botanical Extract Stops Diarrhea, Strep Thoroat, Gingivitis, Candidiasis, and More ..." – „A Revolutionary New Antiviral Agent!" – „University Of Georgia Evaluates Citrus Extract" – „Intestinal Candidiasis Stopped With Grapefruit Seed Extract" – „Hospitals Use Citrus Extract ... Environmentally Safe and Non-Toxic" – „Chlorine-Free Jacuzzi" – „Citrus Extract Replaces Chlorine As Wastewater Effluent Treatment" – „First Aid For Drinking Water" – „Soil Test Confirmation: Citrus Extract Is Environmentally Safe", (Magazine – For the Health & Environmentally Conscious Professional) Pentaluma, CA, Volume I & II, 1994

Trickett, Shirley: „Coping with Candida", Sheldon Press, London, 1994

Trickett, Shirley: „Candida Albicans – Over 100 yeast-free and sugar-free recipes", Thorsons, London, 1995

Trowbridge, J. P./Walker, M.: „The Yeast Syndrome", Bantam, New York, 1986

Truss, Dr. med. C. Orion: „The Missing Diagnosis", Birmingham, 1982

Tumbay, Ed.: „Candida Albicans and Candidamycosis – Symposium Proceedings", Plenum Publications Co., London, 1991

Turner/Simonsen: „Candida Albicans – Special Diet Cookbook", Thorsons, Wellingborough, 1989

Vasey, Christopher: „Die Entgiftung des Körpers", Midena Verlag, Augsburg, 1994

Villequez, E.: „Der latente Parasitismus der Blutzellen beim Menschen, besonders im Blut der Krebskranken", Semmelweis-Institut, D-Hoya, 1956

Vucovic, Laurel: „Treating common health problems naturally; Consumer Guide to Women´s Health" (suggests grapefruit seed extract), Natural Health, Vol. 24, No. 4, Pg. 86, East West Partners, USA, July 1994

Weinberger, Stanley: „Parasites – An Epidemic in Disguise", Healing Within Products, Larkspur, California, 2. Edition 1994

Weise, Dr. D. O.: „Harmonische Ernährung. Wie Sie bewusster werden und Ihre persönliche gesunde Ernährung intuitiv selbst finden", Smaragdina Verlag, München, 1. Auflage 1990

Wetzel, W. E./Sziegoleit, A./Weckler, C.: „Karies-Candidose des Milchgebisses bei Kleinkindern", Labormedizin, GIT Verlag, Darmstadt, Heft 3, 1983

White, Linda B.: „Bumps, bruises and bites: basic first aid for the whole family"(includes grapefruit seed extract), Mothering, No. 74, Pg. 46, Peggy O´Mara, USA, March 1995

Wiedemann, Dr. med. Michael: „Der Gesundheit auf der Spur – Die Mikro-Nährstoffe der Orthomolekularmedizin", Ariston Verlag, Genf, 1994

Winner, H. I./Hurly, R.: „Symposium on candida infections", Livingstone Pub., Edinburgh, 1966

Wright, Brian/Wright, Celia: „Grapefruit Seed Extrakt – A Natural Antibiotic", Beyond Nutrition (Magazine), Burwash Common, East Sussex, Autumn 1994

Wright, Brian/Wright, Celia: „The Helicobacter Story" – „Readers Report – Grapefruit Seed Experiment", Beyond Nutrition (Magazine), Burwash Common, East Sussex, Spring 1995

Wissenschaftliche Analysen, Untersuchungen und Labortests*

BC Research - British Columbia Research Corp., Vancouver, B.C., Canada: „Final Report Bacteriocidal Efficacy of Citricidal", Auftraggeber: EcoTrend, North Vancouver, B.C., Canada, Fertigstellung: März 1992

Bio/Chem Research Inc., Lakeport, CA, USA: „Citricidal – Mechanism of Action and Evaluation as a Disinfectant", Auftraggeber: Bio/Chem Research Inc., Lakeport, CA, USA, Fertigstellung: ohne Angabe

Bio Research Laboratories Inc., Redmond, WA, USA: „Bacteriocidal Efficacy of Citricidal – Laboratory Report", Auftraggeber: Mr. John Harrison, EcoTrend, North Vancouver, B.C., Canada, Fertigstellung: 9. Dezember 1992

Bio Research Laboratories Inc., Redmond, WA, USA: „Biodegradability of Citricidal Liquid – Laboratory Report", Auftraggeber: Mr. Richard Perry, Bio/Chem Research Inc., Lakeport, CA, USA, Fertigstellung: 31. August 1994

Brigham Young University, Provo, UT, USA: „Evaluation Report of the Inhibitory Properties of Citricidal® / Inhibition of Bacteria and Yeast by Citricidal®", Auftraggeber: Bio/Chem Research Inc., Lakeport, CA, USA, Fertigstellung: 20. September 1990

Great Smokies Diagnostic Laboratory, Asheville, N.C., USA: „Citricidal®-Bacterial and Yeast Sensitivity Tests", Auftraggeber: Bio/Chem Research Inc., Lakeport, CA, USA, Fertigstellung: Juli 1991

Institut Pasteur, Paris, Frankreich: „In Vitro Study of the Inactivation of HIV by Citricidal®", Auftraggeber: Bio/Chem Research, Lakeport, CA, USA, (bisher lagen nur Teilergebnisse vor, die Studie war bei Drucklegung dieses Buches 1996 noch nicht völlig abgeschlossen.)

---

* Dokumentationen über die Wirkung von Grapefruitkern-Extrakt, die den Autoren bei der Arbeit an diesem Buch zur Auswertung zur Verfügung standen.

Northview Pacific Laboratories Inc., Berkeley, CA, USA: „Test Article Identification: Citricidal, 0,2 %. Test Performed: USP Preservative Effectiveness Test", Auftraggeber: Mr. Richard Perry, Bio/Chem Research Inc., Lakeport, CA, USA, Fertigstellung: 8. Juni 1995

Northview Pacific Laboratories Inc., Berkeley, CA, USA: „Test Article Identification: Methylparaben, 0,2 %. Test Performed: USP Preservative Challenge Test", Auftraggeber: Mr. Richard Perry, Bio/Chem Research Inc., Lakeport, CA, USA, Fertigstellung: 8. Juni 1995

Northview Pacific Laboratories Inc., Berkeley, CA, USA: „Citricidal Test: Acute Oral Toxicity", Auftraggeber: Mr. Kenneth Stryker, Matsuhitu Chemical Corp., Carson City, NV, USA, Fertigstellung: 6. July 1995

Southern Research Institute, USA: „Test Comparing the Antiviral, Antibacterial & Antifungal Properties of a New Disinfectant Formulation (ImuSol) Containing 500 ppm Citricidal® with Commercially Available Disinfectant Nolvasan", Auftraggeber: ImuTech Inc., Huntington Valley, PA, USA, Fertigstellung: 26. November 1984

United States Department of Agriculture, Greenport, New York, USA: „Citricidal® Effective Against Three Animal Viruses: Foot-and-Mouth Disease (FMD), African Swine Fever (ASF), Swine Vesicular Disease (SVD)", Auftraggeber: Dr. Jacob Harich, Lakeport, CA, USA, Fertigstellung: 7. September 1982

United States Department of Agriculture, Hyattsville, MD, USA: „The Effect of Citricidal Against Avian Influenza", Auftraggeber: Dr. Jacob Harich, Lakeport, CA, USA, Fertigstellung: 7. Mai 1984

University of Georgia / College of Agriculture, Department of Poultry Science, Athens, Georgia, USA: „Inhibitory Effect of Citricidal® Against Lysteria Monocytogenes", Auftraggeber: Bio/Chem Research Inc., Lakeport, CA, USA, Fertigstellung: 24. Februar 1984

University of Georgia / College of Agriculture, Department of Poultry Science, Athens, Georgia, USA: „Citricidal® as a Feed Preservative, Mold Inhibitor, Antioxidant and for Use with Fish", Auftraggeber: Bio/Chem Research Inc., Lakeport, CA, USA, Fertigstellung: ohne Angabe

Valley Microbiology Services, Palo Alto, CA, USA: „Citricidal® Inhibition of Growth of Campylobacter Jejuni and Helicobacter Pylori", Auftraggeber: Bio/Chem Research Inc., Lakeport, CA, USA, Fertigstellung: 11. Juli 1991

Valley Microbiology Services, Palo Alto, CA, USA: „Citricidal® Skin Cleanser Inhibition of Growth of Escherichia Coli, Salmonella Typhimurium and Staphylococcus Aureus", Auftraggeber: Bio/Chem Research Inc., Lakeport, CA, USA, Fertigstellung: 11. Juli 1991

Valley Microbiology Services, Palo Alto, CA, USA: „Citricidal® Inhibition of Growth of Shigella Dysenteriae", Auftraggeber: Bio/Chem Research Inc., Lakeport, CA, USA, Fertigstellung: 9. September 1991

Valley Microbiology Services, Palo Alto, CA, USA: „Citricidal® Inhibition of Growth of Chlamydia Trachomatis", Auftraggeber: Bio/Chem Research Inc., Lakeport, CA, USA, Fertigstellung: 20. September 1991

Valley Microbiology Services, Palo Alto, CA, USA: „Citricidal® Inhibition of Growth of Vibrio Cholerae", Auftraggeber: Bio/Chem Research Inc., Lakeport, CA, USA, Fertigstellung: 19. November 1991

Valley Microbiology Services, Palo Alto, CA, USA: „Citricidal® Determination of Inhibition of Giardia Lamblia", Auftraggeber: Bio/Chem Research Inc., Lakeport, CA, USA, Fertigstellung: 26. November 1991

Valley Microbiology Services, Palo Alto, CA, USA: „Inhibitory Effects of Citricidal® Against Legionella Pneumophila", Auftraggeber: Bio/Chem Research Inc., Lakeport, CA, USA, Fertigstellung: ohne Angabe

Valley Microbiology Services, Palo Alto, CA, USA: „Citricidal® – Two-fold Serial Dilution Tests on Bacteria and Fungi", Auftraggeber: Bio/Chem Research Inc., Lakeport, CA, USA, Fertigstellung: ohne Angabe

Valley Microbiology Services, Palo Alto, CA, USA: „Salmonella Trial Evaluation of the Effect of Citricidal on

Chicken Carcasses (in Reducing Salmonella Typhimurium)",
Auftraggeber: Bio/Chem Research Inc., Lakeport, CA, USA,
Fertigstellung: ohne Angabe

Darüberhinaus verfügten die Autoren über z. T. interne
Forschungsunterlagen, Laboranalysen und Untersuchungs-
ergebnisse folgender Firmen:
BIO/CHEM Research Inc., Lakeport, CA, USA
ECOTREND Products Ltd., North Vancouver, BC, Canada
HELIOS MOLLE KONSORTIENT – DANSK HELIOS,
Frederica, Dänemark
HIGHER NATURE, Burwash Common, East Sussex,
Großbritannien
IMHOTEP Inc., Ruby, NY, USA
MEDAFARM AG, Münchenstein, Schweiz
NUTRIBIOTIC Inc., Lakeport, CA, USA
GSE-Vertrieb, Saarbrücken, Deutschland
PHYTOMED IRELAND Ltd., Dublin, Irland
PRIMAVERA LIFE GmbH, Sulzberg, Deutschland
sowie über die Forschungsergebnisse mehrer Privatforscher
aus vier Ländern.

Index

A

A-Virus 56
Abbaubarkeit, biologische 25, 129
Abfüllgeräte 70, 102
Abgeschlagenheit 56
Absterbe-Reaktion 50
Abwehrsystem 70
Abwehrzellen 69
Aerobacter aerogenes 134
Aflatoxin 61
Afrika 58, 79, 101, 129
Afrikanische Schweinepest 112
After-Shave-Zusatz 35, 141
Agaricus bisporus 136
AIDS 19, 20, 54, 69
Aircondition-Anlagen 143
Akne 35, 91, 143
  – Mittel gegen 91
Akupunktur 49, 96
Akzeptieren 49
Alcalingenes faecalis 134
Algen 22, 99, 104, 110
Alkohol 13, 24, 74, 75, 93, 96,
  130, 131
Alkoholspiegel 63
Allergen 72, 73
Allergie 8, 51, 53, 54, 60, 61, 63,
  68, 70, 72 - 75
allergische Reaktion 8, 72, 74, 75
Aloe Vera 27, 84, 86
Alpacas 21
Alterungsprozeß 60
Alzheimersche Krankheit 69
Amalgamfüllungen 48
Amöben 57, 69
  – Ruhr 57

Anbaugebiete 12, 129
Anfälle 72, 84
Angina 33
Ängste 49, 68
Anschriften 140
Ansteckung 68, 80
Anti-Körper 73
Anti-Mikrobium 16 - 18, 21
Antibiotika 15 - 18, 20, 21, 48, 53,
  61, 68, 75, 78, 83, 84, 97, 111,
  112
Antidepressivum 13
Antigen 73, 74
Antikörper 64, 72, 73
Antimykotika 17, 65
antiseptisch 13, 28, 35, 37, 81, 89,
  91, 96, 98, 113, 131, 141- 144
  – Mundspülung 28
Antitoxine 53
Aphten 28, 83
Apigenin Rutinosid 14, 125
Apotheken 2, 9, 27, 51, 84, 85, 88,
  141, 146, 151
  – in Betrieben 37
Aquarium 22, 110
Aristoteles 148
Armodillo Umweltdienst 24
Arterien 74
Arthritis 8, 61, 68
ASF-Virus 112
Asheville 17
Asien 79, 151, 153
Aspergillus 61
  – *crysstallinus* 136
  – *fischeri* 136
  – *flavis* 135

– *flavus* 136
– *fumigatus* 135
– *niger* 135
– *oryzae* 136
– *parasiticus* 136
– *terreus* 136
Asthma 61, 63, 72, 74, 84
– Anfälle 84
Atem 28, 29, 56, 89, 103
Atmung 62
Atopic Eczema 17
Aufquelleffekt 51
Aufruf 146
Augen 27, 35, 36, 91, 110, 117, 128
Aureobasidium pullulans 135
Ausheilung 42, 56, 64
Ausscheidung 51
Ausschläge 69, 93
Avocadoöl 27

B

Baby 20, 68, 72, 78, 93, 95
– Fläschchen 28
– Pflege 93
    – Serie 141
– Popo 93, 94
Bacillus
– *cereus* 133
– *cereus var. mycoides* 133
– *megatherium* 133
– *subtilis* 133
Bad, öffentliches 25, 104
– Verwaltung von 105
Badezimmer 98
Badezusätze 141
Bakterien 59, 60
– Flora 18
– Stämme 17, 136
Bandwürmer 66, 68

Barbados 11, 12
Bauchschmerzen 57
Bauer 21, 77
Baum 11
Bäuml, L. 17, 136
Bein 49, 85
– Geschwüre 39
    – offenes 39
Belüftungsanlagen 95
Bergamotte 12
Besserung 37, 38, 54, 83
Besteck 99, 144
Betreuungspersonen 96
Betrieb, landwirtschaftlicher 111
Bettwäsche 23, 95
Biergläser 99, 144
Bierleitungen 100
Bifidobakterien 18
Bio
– Bauer 21, 23, 77
– /Chem Research Inc. 132
– /Chem Research Institut 17
– Flavonoide 13, 125
– Handel 90
– Läden 90
– Reiniger 130
– Research Laboratories 132
Biologen 141
Birnenschorf 118
Biß 38, 39, 75
– Wunden 81
Bitterstoffe 50, 101
Blähungen 63, 68, 74
Bläschenbildung 29
Blasen-Beschwerden 83
– Entzündung der 83
Blattfallkrankheit 118
Blockaden 49
Blumen 99
– Frischhalten von 99

– Wasser 99
Blut 30, 61, 73
  – Analyse 64
  – Bahn 68
  – Egel 38
    – Bisse 38
  – Körperchen 61
  – Tests 73, 140
  – Zucker-Schwankungen 63
Bohnen 118
Borax 130
Botaniker 11
Botine, Dr. J. A. 24, 96
Brasilien 12, 15, 24
Breitbandtherapeutikum 107
Brennen, in der Scheide 45
Brennfleckenkrankheit 118
Brigham Young University 15
British Columbia Research Corp. 132
British Heart Foundation 60
Bronchitis 56
Brot 62, 105
Brucella abortus 134
  – *intermedia* 134
  – *melitensis* 134
  – *suis* 134
Brunnen 106
Butylenglykol 92, 130

C

Calderon, Prof. Dr. Guillermo 22
Calendula 29, 114
Campylobacter jejuni 136
Candida 19 - 21, 28, 63 - 65, 70, 74, 75, 84, 94
  – albicans 7, 61, 62, 86, 135
  – Infektion 45
Carson, John R. 24
Center for Disease Control 67

Chaetomium globosum 135
Chaetomium spp. 136
Chemikalien 23, 72, 97, 100, 104 - 106, 112 - 114
  – synthetische 18
Chemiker 146
Chile 22
Chlamydia trachomatis 136
Chlor 24, 25, 51, 70, 80, 104, 105
  – Tablette 79
Cholera 20, 57
  – Epidemie 58
Citral-Aldehyd 13
Citricidal® 25, 26, 112, 128, 131 - 133, 137 - 139
Citrus 7, 9, 11, 17, 125
  – *paradisi* 7, 9, 11
Clamydia 125
Clark, Dr. Hulda Regehr 69, 102, 130
Cloaca cloacae 134
Clostridium botulinum 133
  – *tetani* 133
Colibakterien 105
Coliform-Bakterien 25
Colitis 57, 63, 74
Cornyebacterium minutissium 133
  – *acnes* 133
  – *diphtheriae* 133
Cremes 69, 86
Crohn-Krankheit 57

D

Dänemark 9, 21, 23, 77, 151
Darm 7, 20, 24, 45, 47, 54, 57 - 62, 71, 74, 78, 81, 86, 88, 112
  – Bakterien im 18
  – Egel 69
  – Erkrankungen 19, 52
  – Flora 8, 18, 52, 55, 64
  – Kur 108

- Schleimhäute 68
- Verschluß 51
- Wand 68, 73 - 75
Dauereinnahme 77, 78
Dencker-Jensen, Knud 25, 77, 106, 113, 151
Deo-Spray 90, 142
- Produkte 90
- Roller 142
Depressionen 68
Dermatitis 38, 69
Desinfektion 17, 22 - 24, 26, 28, 30, 40, 41, 58, 80, 89, 91, 94 - 97, 99, 100, 102 - 104, 110, 114, 131, 141 - 144
Deutschland 9, 15, 21, 63, 91, 151
Diabetes 51, 69
Diagnose 2, 66, 71, 148
Diäten 84
Didymin 13, 125
Dihydrokaempferol Glykosid 14, 125
Diplococcus pneumoniae 133
Dosierung 17, 18, 26, 50 - 52, 55, 56, 58, 60, 62, 64, 65, 71, 72, 75, 77, 80, 105, 108 - 110, 112, 113, 115, 119, 123, 127, 128, 139
- Angaben 27, 52
Drittewelt-Länder 129
Drogerien 51
Dunkelfeldmikroskopie 8, 64
Durchblutungsstörungen 61
Durchfall 20, 21, 56, 57, 63, 68, 74, 79
Duschgel 13, 45, 89, 141
dysenteriae 57, 135
Dyspepsie 59

E
Ebner-Eschenbach, Marie Freifrau von 15, 146

Echinacea 56
- Tinktur 44
Eindringlinge 8 - 11, 53, 68, 97
Einnahme-Höchstmenge 126
Einsatzkonzentrationen 130
Einsatzspektrum 130
Einzeller 66
Eiswürfel 80
Ekzem 20, 36, 38, 69, 74, 85, 89, 91, 93, 96
ELISA-Bluttest 73
Eltern 68
Encyme Linked Imuno Sorbant Assay 73
Energiefluß 49
England 9
Ent-Spannung 49
Entamoeba histolytica 57, 136
Enterobacter sp. 136
Enterococcus sp. 136
Entgiftung 9, 51, 64
Entkeimung 130
Entmykotisierung 130
Entschlackung 49
Entstehungsgeschichte 66
Entwicklungshilfe 25, 106
- Organisationen 106
- Projekt 25
Entzündung 1, 43, 45, 46, 48, 53 - 55, 59 - 61, 68, 74, 83, 91
Enzym 60
- Produktion 50
Epidemien 56, 58
Epidermophyton floccosum 135
Erbrechen 57
Erbsen 118
Erdbeer-Fruchtfäule 118
Erdnüsse 61
Erforschung 15, 18, 20, 61, 111, 119, 154

Erkältung 9, 56, 143
– Krankheiten 19, 47
– Saft 143
Ernährung 8, 10, 11, 21, 53, 61,
64, 75, 97, 114
– Gewohnheiten 48, 59, 100
Erreger 16, 47, 50, 54, 55, 57, 58,
116
Erste-Hilfe-Box 37
– Maßnahmen 128
Erysipeloid 112
Erzeugung 125
Escherichia coli 57, 125, 134, 136
Esel 113
Essigsäure 130
Europa 67, 70, 119, 153

F
Faulhinke 113
Fäulnis 48, 98, 101, 118
Fehldiagnosen 47, 63, 71
Fell 22, 110
Ferkel 21, 121
Fertig-Kartoffeln 62
Fertigpräparate 51
Fertigprodukte 27, 110, 113, 116,
119
Fertigwindelhöschen 141
Fibrose 63
Fieber 56
Fingernägel 42
Fisch 98, 101, 110, 127, 128, 130,
144
– Tanks 22
Flächenreinigung 98
Flaschenernährung 75
Flavonide 13, 125
Flechten 93
Fleisch 22, 62, 98, 101, 112, 144
Florida 12, 15, 23, 79

Fluor 105
Food and Drug Administration
(FDA) 19, 58, 131
Forschung 2, 7 - 10, 14 - 18, 48,
58, 59 - 61, 69, 72, 73, 102,
119, 148, 148
– Ergebnisse 16
Frankreich 9, 15, 20
Frauen 44, 45, 63
Frucht 11 - 13, 80, 98, 101
– Fleisch 13
– Zellmembranen 132
– Saft 13, 28, 50, 62, 94, 130
– Schale 13
– Zucker 13
Fungi imperfecti 85
Fungizid 20, 144
Fusarium oxysporum 136
– *ambucinum* 136
– *sp. tuberosi* 136
Fuß 40
– Bad 40 - 42, 90
– Boden 98, 103,
– Bodenreiniger 143
– Nägel 42
– Pflegerinnen 96, 146
– Pilz 40, 81, 86, 88, 104, 105,
143
– Creme 143
– Puder 38, 40 - 42, 87, 110
Futter 21, 108, 110 - 112
Fütterungstest 127, 128

G
Galland, Dr. Leo 19, 64, 77
Gärtner 118, 146
Gärung 29, 53
Gastritis 59, 61, 63
Gastronomie 99, 100, 144
Gedächtnis 63, 68

172

Gehirn 63, 68, 74
Gelenke 61, 68, 73
Gemüse 22, 23, 62, 65, 98, 101,
    130, 144
Genitalien 44
    – männliche 45
Georgia 15
Gerarde, John 11
Geräte, medizinische 24, 142
Geschirr 97, 99, 143, 144
    – Spülmittel 23, 98, 143
Geschmacksverbesserung 28
Geschwüre 28, 32, 59, 63, 85
Gesicht 35, 91, 109
    – Creme 142
    – Wasser 142
Gesundheitsberater 146
Getränke 80, 100, 102
    – Konservierung 144
Getreide 22, 122
Giardia lamblia 24, 57, 70, 133, 136
Gicht 61
Gießwasser 99, 117
Gifte 48, 51, 53, 54, 57, 61, 63,
    114
Gingivitis 30
Gittleman, Ann Louise 66
Gläser 99, 144
Gletscherbrand 29
Gliederschmerzen 56
Glycerin 26, 29, 33, 34, 39, 40, 50,
    99, 110, 123, 125, 131, 132
Glykosid 13, 125
Gordon, Dr. Jay N. 20
Gram-negativ Bakterien 134
    – positiv Bakterien 133
Granulome, in Lunge 68
Grapefruit
    – Baum 11, 12
    – Bio-Siegel 102

– Fruchtfleischmembranen 125
– Hustenbonbon 143
– Plantagen 12
– Schale 13
– Zellmembran 131
Grapefruitkern
    – Extrakt-Ohrentropfen 34
    – Forum 148
    – Hustenmedikamente 33
    – Puder 94
    – Salbe 29
    – Zahncreme 29, 30
Grauschimmel 118
Great Smokies Laboratory 17
Greenport 112
Grenzwerte 127
Grippale Infekte 56
Grippe 9, 20, 56, 78, 81
Großbritannien 151
Großflächenreiniger 143
Großzuchtanlagen 21
Grünpflanzen 99, 104
Gurkenkrätze 118
Gürtelrose 38

H
Haar 9, 36, 87, 89, 91
    – Wäsche 36
Haefeli, Bruno 61, 64
Haemophilus influenzae 134
Hals
    – Entzündung 33, 81
    – Schmerzen 33, 56
Haltbarkeit 23, 98
Haltbarmachung 22, 92, 98, 101
Handel 29, 30, 34, 37, 38, 65, 90,
    110, 116, 123
Handwaschpaste 141
Harich, Dr. Jacob 15, 16
Harnröhrenschleimhaut 45, 46

173

Hausapotheke 20
Haushalt 37, 97, 100, 122
– Reiniger 23, 143
Hausstaub 74
Haustiere 22, 67, 97, 107
Haut 24, 27, 35, 37 - 39, 62, 69,
   73, 85, 87, 89, 90 - 92, 95
– Abschürfungen 37
– Ausschläge 37, 72
– Creme 38, 90
– Desinfektion 96
– Erkrankungen 27, 109, 110
– Geschwüre 69
– Irritationen 36
– Krebstest 127
– Pilze 20, 39, 110
– Pilzerkrankungen 9, 19, 36,
   39, 93
– Probleme 93
– Reiniger 35, 45, 141
– Spray 37, 44
– Unreinheiten 35, 91
Hebammen 96, 146
Hefe 125, 135
– Pilz 18, 28, 45, 61, 62, 64, 65,
   75, 94
   – Infektionen 19, 20, 93
   – Stämme 136
Heilkräuter 48
Heilkundige 19, 47
Heilpraktiker 2, 27, 52, 58, 61, 96,
   146, 148
Heimpflege 143
Heimspringbrunnen 99
Heiserkeit 33, 56, 143
Helicobacter pylori 59, 60, 75, 125,
   136
Heptamothoxyflavonid 14, 125
Herborn 15
Herpes 28, 29, 125, 136, 142

Hersteller 140
Herxheimer Reaktion 64, 65
Herz 49, 151
– Kreislauf-Beschwerden 8, 61
– Jagen 56
– Probleme 63
Hesperidin 13, 125
HIV-Virus 20, 69
Hobbygärtner 15
Hodgkin´sche Krankheit 69
Hölderlin, Friedrich 7, 9
Homöopathie 48
Hopfen 118
Hormonsystem 63
– Störungen 63
Hornhaut 40
Hotelwesen 100
Huf 113
– Erkrankungen 113
Hugo, Victor 3
Hühner 111, 112, 130
– Augen 40
Hülsen 50, 51, 128
Hunde 67, 107 - 109, 111
Husten 33, 56, 143
Hydrokulturen 99
Hygienebecken 114
Hygieneeinsatz 103
Hyperaktivität 63

I
IgE 72, 73
IgG 72, 73, 75
Immunsystem 8, 18, 19, 49, 53 -
   55, 60, 61, 64, 66, 69, 70, 72 -
   75, 78, 95, 97, 112
– Abwehr 53, 64, 70
– Funktion 68
– Globulin A 70
– Reaktion 70

– Resistenz 78
– Schwäche-Krankheiten 18
– Schwäche-Symptome 19
– Zellen 73
Impfungen 21, 78
Indien 58
Indischer Flohsamen 50
Industrie 14, 23, 62, 100, 105,
  106, 119, 141
Infektionen 1, 19, 29, 45, 47, 57 -
  60, 64 - 71, 74, 75, 78, 85, 87,
  89, 94, 95, 98, 116
– Krankheiten 21, 57, 58, 80
Influenza 56, 136
Inhalatoren 24
Inhaltsstoffe 13, 125
Insektenstiche 39, 81
Institut für Mikroökologie 15
Interlab Laboratory 15
Intimbereich 45, 89
Intimpflege 45
Ionescu, G. 17, 136
Irland 9, 151
Isopropylalkohol 102, 130
Isosakuranetin 13, 125
Isphagula 50
Israel 12

J

Jacuzzi 104
Jagdhund 107
Jagger, Mick 33
Jamaika 12
Japan 63
Joghurt 44, 52
Jordanien 12
Juckreiz 84

K

Kaempferol-Glykosid 14, 125
Kaffeemühle 106
Kaliumhydroxid 130
Kamille 114
Kanada 9, 21
Karibik 11
Karies 30, 87
Karotten 23
Kartoffeln 23, 62, 117, 118
– Krautfäule 118
Käse 62
Kater 108
Katzen 9, 67, 108, 109, 111, 143
– Shampoo 143
Kaugummis 142
Kehlkopfentzündung 33
Keim 9, 28, 31, 94, 95, 98, 101,
  103, 104, 106
– Hemmer 95
– Kontrolle 16
– Kulturen 17
– Spektrum 92, 125
– Überträger 80
Kenia 9
Keratinomyces ajelloi 135
Kerbel 114
Kerne 13
Kiel, R. 17, 136
Kinder 23, 28, 50, 94, 97, 130
– Arzt 20
Kiwis 101
Klärwasser-Aufbereitung 24, 25
Klebsiella sp. 125, 136
– *aerogenes* 134
– *edwardsii* 134
– *pneumoniae* 134
Kleinkinder 68, 72, 78
Kleinmücke 117
Klimaanlage 99

Knie 88
Knötchen 69
Kohlmehltau 119
Kolibakterien 57
Kombipräparat 13
Komposthaufen 15
Kompresse 39
Kondome 145
Konservierung 91 - 93, 101, 102,
  130, 138
  – Mittel 102, 131, 138, 144
  – Stoff 23, 91, 92, 101
Konzentrationsfähigkeit, mangelnde
  68
Kopfhaut 36, 85, 87, 89
Kopfläuse 36
Kopfschmerzen 56, 63, 74, 89
Korea 9, 21
Körpercreme 141
Körperpflegemittel 69, 89, 90
Kortison-Behandlungen 61
Kosmetik 90, 91, 93, 142
  – Artikel 90, 92, 142
Kosmetikerinnen 146
Kosten 18, 109
Kragenfäule 118
Krankenhaus 23, 24, 84, 85, 95,
  105, 114
Krankenpflege 95, 96
Krankenschwestern 96, 146
Krankenzimmer 95
Krankheitserreger 8, 18, 24, 27,
  47, 49, 50, 56, 57, 77, 97, 98,
  100, 126
Kratzwunden 37
Kräuterprodukte 23
Krebs 54, 60, 61, 69, 70, 102, 127,
  130
Küche 98, 121
  – Reiniger 143

Kühe 21, 85, 112
Kümmel 114
Kupferbrand 118
Kurverwaltungen 18, 83, 105, 108
Küstermann, Dr. med. Klaus 20

L

Laboranalysen 14, 47, 54, 60, 65,
  104, 125, 132
Lachse 22
Lactobacillus 125
  – *arabinosus* 133
  – *casei* 133
  – *pentoaceticus* 136
Lakeport 17
Landarbeiter, betrunkener 17
Landbau, biologischer 77, 113,
  114
Landwirt 114, 117, 146
  – schaft 113, 119, 130, 151
Laryngitis 33
Lauch 23, 118
Läuse 9, 116
Lebensenergie 49, 154
Lebensmittel 60 - 62, 65, 68, 69,
  72, 97, 98, 100 - 102, 131
  – Allergie 73 - 75
  – Intoleranz 60, 73
  – Industrie 99, 102
  – Konservierung 144
  – Vergiftung 20
Lebensweise 7, 8, 10, 53, 61, 152
Leber 53, 54, 62, 63, 68, 69
Legionella 125
  – *pneumoniae* 134
Leitungswasser 79
Levine, S. 17, 136
Lichtmikroskop 64
Lieferanten 140
Lima 15, 22

Limone 12, 13
Limonelle 12
Linalool 13
Linderung 56, 91
Lippen 28, 29
  – Sonnenbrand 29
  – Bläschen 93
  – Herpes 29
  – Pflege 142
Listeria monocytogenes 133
Loefflerella mallei 134
  – *pseudomallei* 134
Loslassen 49
Lösungsmittel 69, 92, 102, 131
Lotion 36, 38
Luftbefeuchter 95, 99
Lunge 62, 68, 74, 103, 128
Lutschtabletten 33
Lymphozyten 73, 75
Lynn, Dr. C. W. 79

M
Magen
  – Darmtrakt 51
    – Erkrankungen des 19
  – Krebs 59
  – Saft 50
  – Säure 59, 60, 73, 74
  – Schleimhautentzündung 59
  – Wand 59
Make-up 142
Malaysia 15
MALT-lymphoma 60
Mandarine 12
Mangelernährung 68
Markt-Sensation, biologische 90
Marmelade 62, 98
Marokko 12
Marshall, Barry 59
Masern-Virus *Morbillium* 136

Massageöle 13
Mastanlagen 21
Mastitis 21
Maul- und Klauenseuche 112
Mäuse 127
Medikamente 68, 71, 72, 74, 78,
  112
Meerschweinchen 128
Melkanlagen 114, 144
Membran 18
Mendall, Dr. 60
Meningitis 63
Menstruationsbeschwerden 63
Mexiko 9, 12, 15, 21, 79
Migräne 63, 74
Mikroorganismen 23, 24, 27, 47 -
  50, 53, 54, 71, 74, 92, 126, 136,
  138, 148
Mikrosporum 85
Mischeigenschaften 130
Mitesser 91
Mittelmeer-Anrainerstaaten 129
MKS-Virus 112
Möhren 118
Moleküle 68, 73, 74
Monatsbinden 142
Monilia albicans 135
Monterrey 15
Moraxella duplex 134
  – *glucidolytica* 134
Morbus Crohn 57
Mucor 61
Müdigkeit 19, 50, 63, 65, 68, 74
Mund 20, 28 - 31, 83, 93 - 95
  – Dusche 30, 89
  – Innenraum 28, 29
  – Schleimhaut 28
  – Sprays 142
  – Wasser 89, 142
Muskeln 68, 73

Mycobacterium phelei 133
– *smegatis* 133
– *tuberculosis* 133

N
Nachforschungen 107, 136, 151
Nagel 19, 42, 86, 104
– Bett 42, 43
– Entzündung 43
– Falzentzündung 43
– Geschwür 43
– Pilz 42, 104, 142
– Bekämpfung 42
– Erkrankungen 42, 89
– Präparate 142
– Umlauf 43, 86
Nährboden 92, 111
Nahrung 53, 62, 68, 75, 98, 100, 102
– Moleküle 73
– Aufnahme 62, 97
– Gifte 73, 74
Nahrungsmittel 48, 62, 73 - 75, 101
– Allergien 75
– Industrie 62
Nahrungsteilchen-IgG-Komplexe 73
Narbe 88
Naringenin Rutinosid 13, 125
Nasal-Spray 32
Naschereien 84
Nase 32
– Spülung 32
Naßrasur 35
National Cancer Institut 59
Natriumsulfat 130
Natur
– Extrakt 2, 47, 98, 111, 146, 152

– Heilmittel 10, 15
– Kosmetik 91 - 93, 130
– Produkt 8, 18, 105
Nebenhöhlenentzündung 32
Nebenwirkungen 10, 19, 69, 71, 77, 78, 80, 112
– frei von 19, 48, 71
Neisseria catarrhalis 134
Neohesperidin 13, 125
Nerven 63, 68
Nesselfieber 38
Neuinfektion 28, 40, 43, 44, 94
Neurose 73
New York 8, 16, 19, 64, 67, 77, 112
Nieren 51, 62, 63
Nobiletin 14, 125
North-Carolina 17
Northview Pacific Laboratories 132
Notfall 27, 91
– Medizin 37
Nüsse 101, 130

O
Obst 22, 23, 62, 65, 101, 130
– Anbau 144
– Bauer 117
– Konservierung 144
– Saftherstellung 13
– Transporte 101
Ohren 19, 34, 63, 87, 143
– Reinigung 34
– Schmerzen 34
– Milben 34
ökotoxisch 25, 129, 131
Öl 13, 27, 29, 34, 37 - 39, 43, 94
Operationssäle 24
Organismen, pathogene 24
Orlando 79
Österreich 21

P

Pampelmuse 12
Panaritium 43, 113
Pandemie 56
Papayas 98
Papulas 69
ParaMycrocidin 136
Paranüsse 61
Parasiten 8, 16, 27, 44, 45, 47, 53
  - 55, 64, 66 - 71, 74, 75, 77, 81,
  97, 98, 109, 111, 143
  – Erkrankungen durch 45, 66
Paratyphus 57, 134
Parcells, Dr. Hazel 66
Parish, Dr. med Louis 19, 57, 67
Parodontose 30
Paronychie 43
Pasteur Institut 15, 20
Pasteurella pseudotuberculosis
  134
  – *septica* 134
Penicillium 61
  – *funiculosum* 136
  – *roqueforti* 135
Penis 46
Peru 9, 15, 17, 21, 22
Pferde 112, 113
  – Zucht 21
Pfirsich-Kräuselkrankheit 118
Pflanzen 9, 11 - 13, 65, 116 - 119,
  144
Pharmazeuten 141, 146
Physiker 15
Physiotherapeuten 146
Pickel 35, 91
Pilze 8, 14, 23, 27, 40, 44, 45, 47,
  50, 53 - 55, 57, 61 - 64, 75, 77,
  85, 93, 94, 97, 98, 103, 104,
  109, 110, 118, 125, 132, 135,
  148

– Befall 8, 65
– Erkrankungen 22, 39, 45, 61,
  63, 64
– Gattung 85
– Infektion 85
  – der Scheide 45
– Mittel 17
– Stämme 16, 17, 136
Pinen 13
Plagen 54, 72
Plantago ovata 50
Plaque 30
Plastikwindeln 94
Pollen 72, 74
Pomelo 11
Pomeranze 12
Poncirin 14, 125
Porcine Reproduktive Respiratory
  Syndrome (PRRS) 21
Poren 89, 103
Präparate, synthetische 19, 48
Präventivmaßnahme 77
Praxen 47, 52, 105
Primär-Allergie 72, 75
Produktinformationen 140, 141
Propylalkohol 70
Prostata-Beschwerden 63
Proteine 14, 73, 125
Proteus sp. 136
  – *mirabilis* 134
  – *vulgaris* 134
Protozoon 66, 70
PRRS 21
Prüfverfahren 125
Pseudomonas 125
  – *aeruginosa* 134
  – *capacia* 134
  – *fluorescens* 134
Psoriasis 38
Psyllium-Hülsen 50, 51, 128

Pullularia pullulans 136
Putzmittel 97, 103

Q
Quercetin-Glykosid 14, 125

R
Rachenkatarrh 143
Rasur 35, 91
– Creme 141
– Schaum 35, 141
– Wasser 141
Ratten 127, 128
Raum, feuchter 62, 143
– Luft 95
– Spray 143
Rautengewächse 12
Reaktion 18, 36, 38, 50, 53, 64,
   65, 72 - 75, 111
Regeneration 27
Reinigung 23, 30, 49, 69, 91, 95,
   97, 98, 102, 142, 143, 144
– Fachmann 23
– Lotionen 142
Reise 37, 58, 67, 78, 80, 81, 153
– Apotheke 79
– Verkehr 67
Reizungen 27, 46
Restaurants 67
Rheuma 61, 74
Rhoifolin 14, 125
Richtwert 123
– bei Tieren 115, 116,
Rinder 21, 113
Ringworm 85
Rochlitz, Dr. Steven 70
Roggen 118
Rohstoffquellen 129
Roman, Dr. Carlos 22
Rüben 118

Rückstände 48, 102, 103, 112
Ruhelosigkeit 68
Ruhr 58
Rutaceae 12

S
Saatgutbehandlung 144
– Beizung 118
Saccharomyces cerevisiae 135
Sachs, Dr. Allan 16, 18
Salat 12, 62, 65, 80, 98
– Fäule 118
Salbe 29, 37, 38, 114
Salmonellen 57
Salmonella choleraesuis 134
– *enteritidis* 134
– *gallinarum* 134
– *paratyphi* 134
– *pullorum* 135
– *typhi* 57, 134
– *typhimurium* 134
Samenkern 14
San Francisco 69
Sandflohbisse 39
Sänger 33, 88
Sarcina lutea 133
– *ureae* 133
Sauna 103, 143
Säurestabilität 130
Scerotinia laxa 136
Schädling 118
– Bekämpfung 117, 118
– Mittel 23, 118
Schafe 109, 113
Schalentiere 98, 130
Scheide 20, 44, 45, 77, 84, 86
– Entzündung der 44, 45
– Infektionen der 19
– Parasiten 45
– Spülung der 44

Schildläuse 116
Schimmelpilz 22, 61, 62, 65, 98,
  99, 101, 116, 123, 130, 144
  – Befall 65, 145*
  – Stämme 136
Schlackenstoffe 51
Schleimhäute 27, 44, 62, 89
Schmarotzer 66
Schmerzen 30, 68, 74, 75, 83, 85,
  86
Schneeschimmel 118
Schneidebretter 98
Schneidezähne 87
Schnittwunden 37
Schnuller 28, 94
Schnupfen 32, 56,
  – Spray 32, 143
Schopenhauer, Arthur 145
Schuhe 40, 42, 97, 114
Schulmedizin 63
Schuppen 20, 36, 89
  – Flechte 38
Schwangerschaft 84
  – Beschwerden während der 63
Schweine 21, 112
  – Rotlauf 112
Schweißfüße 20, 40, 89
Schweißgeruch 90
Schwellungen 69
Schwimmbäder 25, 26, 104
Schwindel 56
Sechzigjährige 60
Seife 38, 41, 42, 44, 46, 69, 89,
  90, 141
Sekundär-Allergie 72, 73
Sellerieblattfleckenkrankheit 118
Serratia marcescens 135
Sesamöl 44, 46
Seuchen 54
Sexualverkehr 45, 85

Shaddock 11
Shampoo 36, 69, 89, 90, 110, 141
Shigella
  – dysenteriae 57, 135
  – flexneri 57, 135
  – sonnei 57, 135
Sinusitis 32, 61, 63
Skidmore, Jerry 23
Skin-Spray 38
Slipeinlagen 44, 142
Sodbrennen 59
Solariumreiniger 143
Sonnencreme 142
Sonnenmilch 142
Soor 28, 93, 94
Southern Research Institut 15
Spanien 12
Speiseröhre 51
Spektrum, breitgefächertes 8
Spinatmehltau 118
Sport 37
Sprays 33, 86, 96, 143
Spritze 44, 96, 105
Sprühverfahren 101
Stäbchenbakterien 57
Stachelbeeren 118
Stall 112 - 114, 144
  – Hygiene 111, 114, 144
  – Seuchen 113
Staphylococcus 57, 125
  – aureas 133
  – aureus 136
  – albus 133
Starr, Richard 17
Stechwarzen 41
Sterilisierung 24, 69
Sterilität 63
Stimmbänder 33
Stoffwechsel 30, 48, 53
  – Schlacken 48

– Substanzen 68
Stoffwindeln 94
Streptococcus 125, 136
  – *agalactiae* 133
  – *faecalis* 133
  – *haemoyticus* 133
  – *pyogenes* 133
  – *viridans* 133
Streß 8, 49, 53, 61, 74, 97
Strümpfe 40, 42, 86
Stuhlanalyse 17, 63
Südafrika 12
Südamerika 22, 25, 79, 101, 104, 129
Südostasien 11, 12, 129
Swimmingpool 25, 103

T
Tagesdosis, beim Tier 108, 115, 116
Tampon 44, 84, 142
Taucheranzüge 145
Teebaumöl 44, 84, 107
Teigprodukte 62
Teppichböden 23, 144
  – Reiniger 143
  – Spray 143
Tests 17, 20, 22, 24, 63, 103, 105, 116, 127, 128, 136 - 138
  – Reihen 2, 14, 125, 127
Thailand 9, 25, 105
Thalamus 13
Therapeuten 27, 73
Thymian 114
Tier
  – Ärzte 21, 110, 113
  – Haare 74
  – Haltung 21, 77
    – landwirtschaftliche 111, 112, 114
  – Heilpraktiker 110, 113

– Pfleger 146
Toilette 98, 104
  – Reiniger 143
Tomaten 79, 117
Topfpflanzen 116
Toxine 17, 48 - 50, 53, 54, 60, 63, 64, 102
  – Unbedenklichkeit von 126
Trematoden 69
Trendbeobachter 90
Trichomonas vaginalis 45
Trichophyton interdigitalis 136
  – *mentagrophytes* 135
  – *rubrum* 135
  – *tonsurans* 135
Trinkwasser 57, 58, 79, 80, 105, 106, 110, 112, 130
  – Aufbereitung 24, 25, 105, 144
Triton X 130
Trockenfäule 118
Trunkenheit 63
Tuberkulose 61
Tupfer 29, 96
Typhus 57

U
Übelkeit 57
Überdosierung 17, 108, 109, 127, 128
Überreaktion 72
Übertragung 41, 42, 99, 101, 111
Umwelt 24, 90, 105, 112
  – Aspekte der 129
  – freundlich 25, 90, 104
  – Gifte 48, 53, 61, 113
  – Schützer 119
Unbedenklichkeit, medizinische 105, 127
Ungeziefer 22
Ungiftigkeit 20
Universalmittel 81

Universitäten
  – Arkansas 15
  – Autonóma de Nuevo 15
  – Georgia 15
  – Malaya 15
  – Ricardo Palma 15
  – San Marcos 15, 22
  – Sao Paulo 15, 24
  – Stanford 59, 60
  – Virginia School of Medicine 69
Unschädlichkeit 77
Untersuchungen 8, 17, 20, 67, 70,
  80, 90, 96, 100, 137, 138
  – Beauftragter von 19, 57
Unterwäsche 44, 46
Unterwassermassage 104
Unwohlsein 50, 63, 65
Urethritis 45
Urinlassen 83
Urlaub 79
US Department of Agriculture 15,
  116
USA 8, 9, 12, 15, 17, 23 - 25, 59,
  67, 69, 70, 90, 103, 126, 129,
  131, 132, 136, 151
Utha 15
Uterus 68

V
Vaginal
  – Ausfluß 45
  – Gel 142
  – Pilz 45
  – Spray 142
  – Zäpfchen 143
Vaginitis 44, 77
Valley Microbiology Services 132
Veralgung 99
Verband 85, 96
Verbrennungen 37

Verdauung 48, 49, 51, 60, 63, 85
  – Beschwerden der 59
  – Probleme bei der 68
  – Säfte 59
  – Trakt 29, 59, 68, 115
Verdünnung 17, 25, 26, 80, 104, 113
Vergiftung 48, 49, 128
Verkeimung 99
Verletzungen 35, 37, 109, 110
Verträglichkeit 19, 51
Verwesung 29, 48, 53
Vibrio cholerae 57, 135
  – *eltor* 135
Viehzucht 130, 146
Vierzigjährige 60
Viren 14, 16, 27 - 29, 47, 53, 56,
  61, 69, 77, 93, 97, 98, 109, 125,
  132, 148
  – Stämme 16
Vitalstoffe 100
Vitamin C 13
Vögel 110
Vorbeugung 29, 36, 40, 42, 46, 65,
  77 - 79, 114, 142
Vorsichtsmaßnahmen 79
Vorverdauung 74

W
Wände, feuchte 65
Warren, Robert 59
Warzen 20, 39, 41
Wäscherei 23
Wäschewaschen 98
  – Maschine 98
  – Mittel 23, 143
  – Wasser 44, 45
Wattestäbchen 28, 29, 32, 34, 142
Weizen 118
Weizensteinbrand 118
Whirlpool 103, 104

Whiskeyflasche 17
Wichmann-Kunz, F. 17, 136
Wildfeuer 118
Williams, Ch. 17, 136
Windel
   – zum Wegwerfen 94
   – Bereich 20, 93
   – Dermatitis 93, 94
Winzer 117
Wirksamkeit 9, 19, 20, 23, 47, 54,
   56, 58, 65, 93, 132, 136 - 138
   – Theorie der 126
   – Untersuchungen über die 136
   - 138
   – Entfaltung der 138
Wirkung 17, 64, 117
   – Spektrum 15, 16, 54, 71
   – Stoff 11, 54, 93, 126
     – Konzentration 102, 127
Wirt 66, 68, 90, 136
Wischwasser 98, 105, 114
Wissenschaftler 65, 148
Woodstock 16
Wunde
   – Auflage 39, 142
   – Creme 142
   – nässende 20, 110
   – Infektionen 30
Würmer 17, 66
   – Befall von 108, 113
   – Mittel gegen 22, 71, 112
Wurzeln 75

Z
Zahn 30, 31, 48, 69, 79, 80, 86,
   87, 89, 90, 142
   – Belag 30
   – Bürste 30, 31, 79, 89
   – Fleisch 19, 20, 28, 30, 31, 80,
   86, 87

   – Entzündungen des 19, 20, 30
   – Hals 87
   – Karies-Vorbeugung 142
   – Prothesen 142
   – Putzwasser 30, 80
   – Seide 30, 142
   – Zwischenräume 30
Zecken 38
Zellen 53, 59
Zellgifte 30
Zentral-Nerven 68
Zentrum für Stuhlanalysen 17
Ziegen 113,
Zimmerpflanzen 62
Zirkus 113
Zitrone 12
Zitronensäure 130
Zitrus 12
   – Arten 11
   – Früchte 18, 51
Zoo 22, 113
Zusätze 8, 48, 61, 100
Zwischenhirn 13
Zwölffingerdarm-Geschwüre 59

Susan Drury

Die Geheimnisse des Teebaums

Der sanfte Heiler aus Australien · Aromatherapie mit den Heilkräften der Teebaum-Essenz für Gesundheit und Schönheit

Teebaum-Essenz aus Australien – das revolutionäre Heilmittel auf dem alternativen Gesundheitsmarkt. Zwar wurde das Teebaum-Öl von den Aborigines Australiens schon seit jeher zum Heilen verwendet, aber erst neueste Forschungen haben uns den ungeheuren medizinischen Wert dieser Substanz bewußt gemacht. Der Teebaum wächst in bestimmten Regionen Australiens, die Essenz wird durch das Destillieren der Blätter gewonnen. Wie wir es zur Linderung von Beschwerden, zur Körper- und Schönheitspflege einsetzen können, erfahren wir in diesem Buch.

128 Seiten, DM 19,80, SFr 19,00
ÖS 145,00 ISBN 3-89385-073-2

Cynthia B. Olsen

Die Teebaumöl Hausapotheke

Der ganzheitliche Heiler aus Australien · Ein Handbuch über die praktischen Anwendungsmöglichkeiten der Teebaum-Essenz, die in keiner Hausapotheke fehlen sollte

Teebaum-Essenz aus Australien hat sich zu einem revolutionären Heilmittel auf dem alternativen Gesundheitsmarkt entwickelt. Zwar wurde das Teebaumöl von den Aborigines schon seit jeher zum Heilen von vielen verschiedenen Krankheiten und Beschwerden verwendet, aber erst heute haben neueste Forschungen den ungeheuren medizinischen Wert dieser Substanz bewußt gemacht. Gerade die vielen verschiedenartigen Einsatzmöglichkeiten machen die Essenz zu einem Heilmittel, dessen therapeutisches Spektrum in keiner Hausapotheke fehlen sollte.

128 Seiten, DM 19,80, SFr 19,00
ÖS 145,00 ISBN 3-89385-138-0

Shalila Sharamon · Bodo Baginski

Das Chakra-Handbuch

**Vom grundlegenden Verständnis
zur praktischen Anwendung ·
Eine umfassende Anleitung zum
Harmonisieren der Energiezentren
durch Klänge, Farben, Edelsteine,
Düfte, Atemtechniken, Naturerfahrungen und Reflexzonen**

Dieses Buch bietet eine umfassende Anleitung zur Harmonisierung
unserer feinstofflichen Energiezentren. Das Wissen um die Chakren
vermittelt uns tiefe Einsichten über
die Wirksamkeit der subtilen Kräfte
im menschlichen Organismus. Zur
praktischen Chakra-Arbeit beschreibt
das Buch präzise eine Fülle von
Möglichkeiten: die Anwendung von
Klängen, Farben, Edelsteinen, Man-
tren und Düften mit ihren spezifischen
Wirkungen auf die einzelnen Energiezentren, ergänzt durch verschiedene
Meditationen, Körperübungen,
Atemübungen und Naturerfahrungen.
Ein reich illustrierter esoterischer
Bestseller.

256 Seiten, DM 24,80, SFr 23,00
ÖS 181,00 ISBN 3-89385-038-4

Shalila Sharamon · Bodo Baginski
& Merlin's Magic

Chakra Meditation

**Eine akustische Reise nach
innen zu den Zentren der Kraft**

Die Chakra-Meditation entführt den
Zuhörer mit subtilen Klängen und
inspirierenden Texten in seine inneren Welten. Die Kompositionen, die
Töne, die Instrumentierung und die
fein in die musikalische Struktur
eingewobenen Naturklänge sind
ein faszinierendes und inspirieren-
des Werk, das in der Welt der
meditativen Musik neue Maßstäbe
setzt.
Kassette einlegen, zurücklehnen,
entspannen, zuhören. Und schon
beginnt ein faszinierendes Aben-
teuer, eine Reise nach innen, zu
den Zentren der Kraft.

Begleitkassette zu:
„Das Chakra-Handbuch"
MC (ca. 46 Min.) Text und Musik
in Buchbox mit Begleitheft

DM 29,80, SFr 27,50, ÖS 218,00
ISBN 3-89385-060-0

Shalila Sharamon · Bodo Baginski

Kosmobiologische Geburtenkontrolle

Ein informativer Ratgeber mit ausführlichen Tabellen

Die Erkenntnis von den Rhythmen und Gesetzmäßigkeiten des Lebens ist so alt wie die Menschheit. Schon immer haben die Menschen nach Möglichkeiten gesucht, aus der Erkenntnis dieser Rhythmen größtmöglichen Nutzen zu ziehen. Mit der kosmobiologischen Methode läßt sich auf einfachste Art und Weise eine natürliche Empfängnisverhütung durchführen. Aber auch die günstigste Zeit für eine gewünschte Empfängnis läßt sich bestimmen, und mit außerordentlicher Wahrscheinlichkeit voraussagen, ob das Kind ein Junge oder ein Mädchen wird. Jede Frau kann in kürzester Zeit ihre fruchtbaren Tage ermitteln und diese Daten zur Verhütung oder zur Empfängnis nutzen.

256 Seiten, DM 24,80, SFr 23,00
ÖS 181,00 ISBN 3-89385-025-2

Shalila Sharamon · Bodo J. Baginski

EINverstandenSEIN

Die Erlösung des Schattens
Der direkte Weg zum Einklang mit Deinem inneren Selbst

Der Weg zur Einheit führt über das Einverstandensein und damit über die Erlösung des „Schattens", also all jener Anteile der Ganzheit, die wir in die Einseitigkeit verdrängt haben und die uns in Form von Schicksal, Krankheit und Leid wieder begegnen. Das Einverstandensein führt uns zu unserer eigentlichen Mitte und somit zu wirklicher Heilung, zu einer Entfaltung unseres gesamten Potentials an Liebe und schöpferischer Energie. Der „Schatten", seit C. G. Jung Synonym für all jene Anteile der Ganzheit, die durch den Menschen ins Unbewußte verdrängt und abgeschoben wurden, erfährt durch die hier dargestellte Methode eine tatsächliche Erlösung aus der Verbannung.

176 Seiten, DM 19,80, SFr 19,00
ÖS 145,00 ISBN 3-89385-086-4

Shalila Sharamon · Bodo Baginski

Edelsteine und Sternzeichen

Edle Steine und ihre Beziehung zu den zwölf Tierkreiszeichen

Das Wesentliche über die Bedeutung der Edelsteine wurde zusammengetragen, wie und warum sie wirken – übersichtlich, anschaulich und lebendig. Der Hauptaspekt liegt dabei auf dem Heilen. Altes Wissen und neue Erkenntnisse über die Wirkung der Edelsteine sind zu einer Quelle zusammengeflossen, 35 der bekanntesten Edelsteine sind mit ihren Heilanwendungen ausführlich beschrieben, außerdem erfährt man, welcher Edelstein für welche Gelegenheit und welches Tierkreiszeichen förderlich ist. Man kann damit den für sich selbst wirksamsten Stein finden und – das ist keine Frage – weiß, wen man mit welchem Stein besonders glückbringend beschenken kann. Mit großer Indikationsliste.

192 Seiten, DM 19,80, SFr 19,00
ÖS 145,00 ISBN 3-89385-050-3

Jutta Mattausch

Die große Welle

„Die Essenz aller Yogas" · Die tibetische Übung für körperliche Vitalität und geistige Power

Eine spannende Geschichte, die im fernen Tibet spielt - und doch auch in uns allen an jedem Ort der Welt stattfinden könnte, denn sie handelt von der Reise zu uns selbst. Ob wir bei uns ankommen und uns dann vielleicht auch finden, hängt ab von unserer Bereitschaft, uns zu öffnen ...
Dieses völlig undogmatische Buch gibt die Möglichkeit, uns unterhaltsam und ganz ungezwungen mit einer der größten Religionen unserer Erde auseinanderzusetzen und uns von ihr berühren zu lassen.

120 Seiten, DM 19,80, SFr 19,00
ÖS 145,00 ISBN 3-89385-168-2

Maya Tiwari

Das große Ayurweda Handbuch

**Die Geheimnisse des Heilens ·
Das umfassende Praxisbuch
über die Wirkungs- und Anwendungsbereiche von Ayurweda ·
Ayurwedische Philosophie,
Verjüngungstherapien (Abhyan-
ga, Snehana, Svedana) Reini-
gungstherapie (Pancha Karma),
Heildiäten und vieles mehr**

Dieses Buch ist in seiner Art die
wohl umfassendste Darstellung der
ursprünglichen Reinigungs- und
Verjüngungstherapien, Pancha
Karma, ehemals gelehrt und prakti-
ziert von den alten wedischen
Sehern. Sämtliche praktischen
Anleitungen sind liebevoll mit
Zeichnungen illustriert. Erstmals
werden die Geheimnisse dieser
anspruchsvollen Heilungsprozesse
in einer Art dargestellt, die ebenso
umfassend wie einfach, praktisch
und leicht nachvollziehbar ist.

528 Seiten, DM 46,00, SFr 42,50
ÖS 336,00 ISBN 3-89385-151-8

Bryan und Light Miller

Ayurweda und Aromatherapie

**Eine neue Power Therapie
verbindet die älteste Naturheilkunde der Welt mit den
schönsten Düften der Natur**

Die neue Power-Therapie:
das ist Ayurweda, die älteste
Naturheilkunde der Welt und
Aromatherapie, Duft gewordene
Heilkraft. Zusammen sind sie
unschlagbar in ihrer Wirkung.
Die Aromen lassen sich damit
erstmals nach ganz neuen und
wirkungsvollen Gesichtspunkten
anwenden – und zwar individuell
auf den jeweiligen Konstitutionstyp
des Anwenders abgestimmt.
Ein umfassendes Kompendium
zum Selbststudium – mit Schritt-
für-Schritt-Anleitungen zur Selbst-
diagnose der ayurwedischen
Konstitutionstypen und gewissen-
haften Anleitungen zur Ayurweda-
Aroma-Praxis.

360 Seiten, DM 36,00, SFr 33,00
ÖS 263,00 ISBN 3-89385-160-7

Bodhy Tree®
Life-Produkte

Im Kern liegt die Kraft

Grapefruitkern-Extrakt
Produkte
erhalten Sie bei PRIMAVERA LIFE

PRIMAVERA Life®
Die reinste Freude am Leben

Am Fichtenholz 5, D-87477 Sulzberg, Tel. 08376 / 808-0, Fax 808-39